KB096486

아들, 세상은 행복하려고 사는 거야

행복하게 키우면 똑똑하게 자란다

■ 이 책은 일상의 기록들을 묶어 한 권의 책으로 출판했습니다.

■ 저자가 강조하고 싶은 문장은 우측 정렬 후 진하게 표기했습니다.

■ 일부 인용구와 저자의 과거 생각 등은 전달력을 높이고자 폰트

　사이즈를 줄여서 표기했습니다.

선한 영향력으로
네가 좋은 사람이 되는데 보탬이 되고자 한다.

서문 (아들에게 쓰는 글)

아들아

아빠는 책을 좋아한다. 가끔 네가 물었지. "아빠는 책이 재밌어?" 그럼 늘 웃으며 이렇게 대답했다. 책에는 꿈과 희망이 있다고. 너도 곧 알게 될 거라고.

아빠는 최근, 어떤 책(익숙한 것과의 결별, 구본형) 한 권으로 작은 꿈을 키웠다. 이 책으로 꿈을 키운 사람은 아빠만은 아니었다.

이 책은 내 생의 과거, 현재, 미래를 넘나들며 내 생을 뒤흔들었다. 이 책으로 인해 나는 첫째, '불타는 갑판'에서 당장 뛰어내렸고, 둘째, 나의 자서전을, 내 스스로, 지금 당장 쓰기 시작했다. 첫 번째가 중대한 사건이었다면 두 번째는 신비로운 여행이었다.

익숙한 것과의 결별에 실린 ㈜휴머니스트 김학원 대표가 쓴
추천사의 한 구절이다. 이 사람은 결단, 방향, 변화, 행동,
지혜가 필요했던 순간에 이 책과 함께 했다. 그에게 이 책은
등불이고, 스승이었으며, 친구였다. 그가 책 한 권으로부터
얻은 삶의 변화. 실로 놀랍고 경이롭다.

아빠도 이 책으로 무언가 많이 달라졌다. 모두 삶에 긍정적인
것들이다. 그래서 구본형의 저 책 한 권이 내게도 큰 선물이다.
친구이며 스승이다. 몇 가지 변화들을 적어본다.

① **나는 이제 매일 새벽 5시에 일어난다. 일어날 수 있게
되었다.** 그리고 그 시간을 내가 가장 좋아하는 것으로
시작한다. 이것은 인생의 큰 축복임을 깨달았다. 해야 하는
일보다 하고 싶은 일이, 오히려 더 일찍 잠에서 나를 깨웠다.
이렇게 시작된 아침은, 묘한 느낌을 나에게 선사한다. '나와의
건전한 약속 하나를 지켜냈다.'는 성취. 온 하루가 긍정으로
상쾌하다. 그리고 나는 이런 나에게 점점 상냥해진다. 별것
아니지만 새벽 5시에 일어나면서 얻은 감정이다.
② **새로운 꿈이 생겼다.** 내 책이 쓰고 싶었다. 거창한 내용은
아닐지라도, 우리의 일상을, 조금 아름다운 것들을 책에 담고

싶었다. 은퇴 후 '달성, 도약, 성공' 같은 역동적 느낌의 단어들과 멀어져 갈 즈음, 새롭게 내게 생긴 꿈이다. 가을 들판의 따뜻한 햇살처럼 강렬하진 않지만 부드럽게, 그렇게 잠시 빛나려 한다. 잠시 늘어졌던 나를 깨운다.

③ **며칠 전 새로운 아이디어 하나가 생겼다.** 되씹자. 이 책의 어느 한 대목에서 아래 문장을 발견했다. '어떤 좋은 문장을 진심으로 느끼고 싶어서 수없이 되씹었다. 그리고 그 과정에서 체화되었다.' 이 문장의 되씹기는 나에게서 '매일 같은 문장을 쓰자'라는 구체적 실천으로 변화됐다. 갖고 싶었고, 내 것이길, 내 삶이었으면 좋겠다고 생각했던 문장들이 많았는데, 늘 나에게서 달아나던 것들을 매일 쓰기 시작했다. 점점 그것들이 나의 삶으로 들어온다.

④ **그리고 난 조금 더 건강해졌다.** '땀은 매일 흘려야 약발이 받는다. 연습이 습관이 되어야 매일 할 수 있고 매일 해야 선수가 될 수 있다. 매일 연습하지 않는 수영선수가 경기에 출전할 수 없고, 매일 바벨을 들어 올리지 않는 선수가 가슴에 자기 이름을 달고 경기에 나설 수 없는 것과 같다.' 나는 운동선수는 아니지만, 저들처럼 못할 이유는 없었다. 지금은 강변을 달린다. 저 문장 덕분에 매일. 매일. 매일 하게 됐다. 그 후로 회사에서 얻었던, 고혈압, 고지혈증 등의 몹쓸 질병들

그리고 스트레스... 이 불편한 것들과 결별했다.

⑤ 은퇴 후 평안함이 좋았던 나. 다시 약간의 떨림을 갖게 됐다. 20대의 뜨거움을 원한 것은 아니다. 결정적 한 방을 원하지도 않았다. 추운 날 차가운 손 데워주는 주머니 안 작은 손난로 같은. 작지만 은은하게 스며드는 희열이 필요했다. 그래서 독서모임을 시작했다. '가치관을 나누고 배우고 싶다'는 바람. 이 역시 이 책을 읽다가 문득 떠올린 것이다.

⑥ 자녀를 잘 키운다는 것이 무엇인지 알게 되었다. 네가 자유롭기를. 부모는 자녀에게 해주고 싶은 것이 많다. 난 지난 11년간 참 많이도 했다. 아이디어가 넘쳤고 또 네가 잘 받아주어 즐거웠다. 그런데 어느 날 더 중요한 것이 있음을 느낀다. 자유! 너대로 너의 뜻대로 살아가는 자유. 자재. 삶은 너의 것이니 그것을 위해 신경을 끄고자 했다. '아이는 알아서 잘 큰다. 어떠한 순간에도 바라거나 실망하지 않을 수 있어야 한다.' 이게 지금 내가 갖게 된 교육관이다. 역시 책 속 어떤 문장에서 생각에 생각을 거듭해 얻게 된 것이다. 굳은 각오로, 정말 굳은 각오로(자녀에 대한 참견을 참는 것은 쉽지 않다) 실천 중이다. 자유는 '자기 이유'이다. 너의 이유는 너 스스로 찾을 수 있었으면 좋겠다. 나는 너에게서 무언가 많이 비워둘 생각이다.

⑦ 보잘것없는 작은 것에 거대한 의미를 담기 시작했다.

그러면서 이유 없이 경시되던 것들까지도 지속할 수 있는 힘을 얻었다. '의미가 상실되면 모든 것은 단명한다.' 새로 만들어 갖게 된 문장이다. 그래서 나의 일상에 최면을 걸고 있다. 일상의 작은 것들에 환각이 의심될 정도의 거대한 의미를 부여 중이다. 이를테면 너와 매일 하는 수많은 대화에는 세상 그 어떤 학원을 능가하는 교육적 가치를 담았다. 나의 '강변 달리기'에는 앞으로 40년은 유지될 건강한 육체를 그려 넣었다. 또 이것에는 치료비 수 억 혹은 그 이상의 금전적 값어치를 적금했다. 그리고 하루 1시간의 공부는 꾸준하면 반드시 이루어진다는 삶의 법칙으로 삼았다. 훗날 내 삶의 표본 증표 증거 같은 것으로 세워질 것이다. 이것은 나만의 실체적 1만 시간이다. 언제나 실천은 이론을 앞설 것이다. 지속은 재주를 이길 것이다.

여기까지 적은 일곱 가지 것들이 책 한 권을 통해서 변화한 아빠의 삶이다. 책 한 권을 이리도 깊이 파고든 적이 있었을까 기억에 없다. 분명 새롭고 놀라운 경험이다. 아빠는 이 책, 이 작가를 통해서 많이도 성숙해졌다. 혼자만의 착각일지 모르지만 난 그렇게 발전적 의미를 부여할 것이다.

그리고 그렇게 믿는다. 좋은 책 속에는 꿈과 희망이 있을지도 모르겠다. 너에게 웃으며 건넨 이 말을, 이젠 조금 더 확신하게 되었다.

앞서 적은 많은 변화의 다짐들 중 한 가지. 책 한 권을 쓰자는 생각. 지금 그것을 실천한다.

그런데 무슨 주제로 책을 쓸까.
나는 무엇을 가장 좋아하고, 자랑하며, 관심 갖고 살았을까. 성적, 대학, 직장, 성취, 성공, 돈... 이런 것들은 아닌데. 그럼 무엇일까. 아마도 단언컨대, 아들 너였다.

아빠의 머릿속에는 항상 네가 있었다. 너에게 좋은 아빠이고 싶었고, 또 그렇기에 난 먼저 좋은 사람이어야 했다. 더불어 너와 소중한 시간을 가득 채우며 살고 싶었다. 그런 것들이 커가는 내게 어떤 힘으로 들어서길 바랐다. 너와 함께한 11년 세월. 우리 가족의 이야기. 하루하루의 소소한 일상. 우리는 소박했지만 화목했고 웃었으며 서로 사랑했다. 2023년 6월 어느 날 함께 손잡고 올려다본 임진각에서의 밤하늘, 그곳의 반짝이는 별처럼 우리는 그렇게 빛나게 살았다. 이 책에는 그런 우리를 기록했다. 앞으로 더 행복하자는 희망도 담았다.

아빠의 책 한 권은 너에게 어떤 의미일까.
아빠는 책 한 권에서 삶의 변화를 일구고 있다. 너도 이럴 수 있을까. 혹시 나의 이 책이 그런 역할을 해줄까. 꿈이 너무 컸다. 그저 이 책은 우리의 기록이며 추억이다. 훗날 네가 그 기록을 보며 따뜻한 감정 솟아나기를, 혹은 고단한 삶에 지쳐 발걸음 무거워진 어느 날, 행복을 추억하고 싶을 때 펼쳐 보길 그렇게 너에게 친구 같은 존재로 가끔 함께 하기를 소망한다.

이 책은 나의 새로운 꿈이고. 그 꿈은 이루어졌다.
덕분이다. 고맙고 사랑한다.

2024년 07월 작은방 책상에서 눈부신 햇살 맞으며
홍병진

시작하며

책에 대한 소개를 추가한다. 이 책엔 가족의 소소한 일상을 주로 담았다. 글은 대부분 11살인 아이와 지금껏 주고받은 대화와 놀이 그리고 생각을 정리했다.

이를테면, 이런 생각들이다. 즐겁자고 사는 세상이다. 스트레스받지 마라. 공부 잘하면 좋지만 너무 신경 쓰지 마라. 못해도 문제 되지 않는다. 그러나 반드시 행복하게는 살아라. 하루의 시작을 네가 가장 좋아하는 것부터, 게임이 그렇게 좋으면 방학 때만이라도 그렇게 하루를 게임으로 시작하거라. 부모가 건강하고 건전한 생각으로 살아가면 자녀는 절대 어긋나지 않는다. 넌 네 할 일 하거라. 난 내가 옳다고 생각하는 일을 할 것이다. 작은 것에 감사할 줄 알고. 매일 무엇을 하면, 그것이 꼭 이루어진다는 믿음을 갖고 살아라. 이것은 사실이다. 부모를 위해 살지 마라. 너의 인생이며 네 책임이다. 그런 생각으로 주도적으로 실천하면 좋겠다. 작은 보잘것없는 것들에 숨겨진 큰 의미를 발견하며 살면 좋겠다. 생각과 삶이 일치하는 사람이면 더없이 좋겠구나.

위의 생각들이 담긴 일상이, 우리에겐 놀이였고 배움이었다.

신문에 쓰인 한 문장이 우리의 온 하루를 웃게 했고
퀴즈를 풀고 배우며 시간을 거슬러 추억했다
2023년 어느 날 서로를 위해 뜬금없는 약속했고. 실천했다.
함께 가훈을 만들었고,
그것이 진실한 살아있는 가훈이 되도록 노력했다.
기념일은 우리가 만들어 가질 수 있는 것임을 알게 됐으며.
꽃이라 부르면 꽃이 되듯, 널 '미래에서 온 아이'라 불러주어,
미래가 기대되는 아이로 자라길 바랐다.
책이 사람을 만들듯,
어떤 선물은 따뜻한 사람을 만들지도 모른다고 상상했고.
나라, 음식, 음악에만 있는 줄 알았던 '문화'라는 것이
우리에게 이미 많다는 것도 알게 되었다.
그리고 우리는 자신이 좋아하는 것으로 하루를 시작하고
감탄하며 살고 있다.
그리고...

이런 것들이 모여 책이 되었다.

아들, 세상은 행복하려고 사는 거야

행복하게 키우면 똑똑하게 자란다

차례

서문 (아들에게 쓰는 글)   4

시작하며   11

제1장 우리 가족 문화

기념일   20

가훈   25

약속   32

하루의 시작, 가장 좋아하는 것부터   37

제2장 조금 특별한 선물

우리는. 공동 저자.   43

아빠의 지난 4년을 선물한다   48

아들, 네 이야기가 신문에 실렸어   54

복싱 스파링, 이것은 입에서 나는 소리가 아니다   61

너에게 보내는 편지 (운치 가득한 어느 새벽)   66

제3장 따뜻한 대화

피곤한 아침을 깨우는 소리   72

행복하냐 그럼 더 행복해라   77

대화에 작은 의미 더하기   82

너의 1만 시간   86

대조 효과   93

수다. 막장 드라마   97

제4장 모범

책 보는 아버지의 뒷모습, 이것은 유산이다   106

부모님 초대   110

너에게 주고 싶은 수식어, _____부자.   115

우리가 만든 어설픈 액자   121

독서 삼독, 아빠의 공부   125

제5장 성장

아들, 너 참 많이 컸구나   132

넌 이런 생각을 하며 사는구나   138

아빠, 나는 이런 사람이야   142

미래에서 온 아이   145

제6장 세상을 공부한다. 아니 놀이한다 (Feat. 신문

우리의 자랑, '신문 퀴즈'는 이렇게 시작했다   152

장학 퀴즈 (월 결산)   160

장학 퀴즈 (반기 결산)   166

신문 퀴즈가 없던 날   171

제7장 잡동사니

너의 유년기, 우린 이때도 참 즐거웠구나   180

기억을 거스르면 추억일까   192

문득, 가까울수록 좋은 단어   197

했다. 해냈다.   201

아들아 너는 절대 기필코 거장은 아니다.   204

마치며   209

제 1장

우리 가족 문화

우리는 이것을 우리만의 '_____'문화라고 부른다.

한국에만 미국에만 동양에만 있는 것이 아니라

가족도 그 가족을 의미하는 문화 하나쯤은 있으면 좋겠다.

지속했고. 함께했고, 즐거웠고. 약간은 독특했던 것.

이것은 우리 가족 문화이다.

기념일

강변 산책로를 달린다. 1시간 남짓 달리면 심박수가 오른다. 120. 130. 140. 150. 160. 170... 치솟는 숫자만큼 피와 산소가 섞여 혈관을 흐르고 온몸을 뜨겁게 데운다. 날아드는 바람 소리에 나의 기분도 음률을 맞춘다. 머릿속 세포도 힘이 나는 걸까. 이때 무언가를 떠올리면 제법 그럴싸한 아이디어가 불쑥 떠오른다. 나의 강변 달리기 시간이 삶의 '긍정적 작전'시간으로 전환되는 순간이다. 오늘도 뭔가 떠오른다. 내일이면 초등 4학년, 아들 많이 컸구나, 따뜻한 하루, 그리고 이것들의 조합... '우리만의 어떤 기념일'

기념일은 세 종류가 있다. 먼저 모든 사람들의 기념일이다. 크리스마스, 밸런타인, 빼빼로, 화이트, 추석.. 보통 이런 종류의 기념일에는 '데이. 일. 절' 등의 말이 붙는다.

이런 날에는 해야 할 일이 주어진다. 남자친구, 여자친구, 부모, 자식 등 각자의 위치에 맞는 역할이 있다. 역할은 존재감도 키우지만, 부담감도 기대감도 함께 키운다. 때로는 이 역할을 이행하지 못하면, 혹은 기대에 부응하지 못하면 슬픈 기념일이 되기도 한다. 이러한 이유 때문인지 개인적으로 이런 날은 마냥 즐겁지만은 않다.

다음은 나의(우리의) 기념일이다.
범용 달력에는 기재되지 않으나, 잊고 살면 안 되는 그런 날이다. 이날은 몇몇 사람들이 모여 함께 기념한다. 생일, 결혼기념일 등이 이런 종류의 것들이다. 이런 날을 깜빡하고 잊고 지나가면 역시나 누군가에겐 슬픈 기념일이 되기도 한다. 서운함이 깃든다. 마찬가지 이유로 마냥 즐겁지만은 않다. 모두의 기념일과 유사하다.

마지막으로, 우리만의 기념일. '걱정을 축하하며'
오늘 강변을 뛰면서 만든 이 기념일은, 어느 달력에도 없으며, 세상 누구도 이날을 챙겨야 한다는 구속력이 없다. 그냥 지나치면 여느 때와 같은 흘러가는 하루이다. 만들기 나름의 날이며 역할, 기대, 부담으로부터 자유롭다. 주어진 것은 없고

채울 수 있는 것만 가득하다. 그렇기에 더 재미지고 값진 날이 된다. 오늘이 우리 가정에 어떤 날이지? 아들이 또 숫자 1만큼 크는 날이다. 3 → 4가 되는 D-1일이다. 기념해 주고 싶다. 멋지게 자란, 멋지게 자랄, 더 큰 새로운 세상을 살아갈 아들을. 모든 새로움이 그렇듯 개학 며칠 전부터 약간의 걱정을 늘어놓는 아들에게, 새로운 시작은 축하할 일이라는 걸 알려주고 싶다. 오늘의 이 기념일은 어떤 의무, 부담도 없다. 축하 케이크와 '새 학년의 의미를 담은 숫자 4가 적힌 초'는 조화롭고 운치 있다. 오늘의 이 기념식으로 어쩌면 아들의 마음속에 부모에 대한 감사함과 그래 잘 해보자는 다짐이 따뜻한 감성과 함께 생겨날지 모른다...

아무튼 이런 날이 주기성을 가지면 '우리만의 문화'가 된다. 문화가 뭐 별거 있나. 앞으로 성년이 되기 전 '새 학년의 걱정'을 축하할 기회는 5.6.1.2.3.1.2.3. 총 8번이 더 남았다. 이 8번의 기념일에 가족의 사랑을 듬뿍 담을 것이다. 어쩌면 5,6 기념일 즈음에는 걱정은 사라지고 새로움에 대한 기대와 어떤 자신감이 들어설 수도 있겠다.

어른이 되어 떠오르는 어린 시절의 기억은, 뭐 그리 특별한 것들이 아니었다. 40년 전 어머니와 손잡고 걸었던 논두렁 길, 처음으로 부모님과 양념갈비를 먹으러 가던 비 내리던 어느 날, 작은 다과상 하나 사서 돌아오는 길에 어머니의 한 손은 머리 위 다른 한 손은 나를 놓지 않으셨던 가을 저녁의 어떤 날, 술 한잔하시고 통닭 한 마리 들고 비틀비틀 집으로 들어오셨던 30년 전 아버지의 모습. 특별할 것 없는 일상의 작은 기억들이다. 별것 아닌 이런 기억이 감성으로 탈바꿈되어 지금도 추억으로 살아난다.

오늘의 우리만의 기념일은
훗날 아들에게도 어떤 감성 어린 하루로 기억될지도 모르겠다.
나의 논두렁, 양념갈비, 다과상, 통닭처럼 말이다. 혹시
잊힌다 해도, 그저 이 하루가 의미 있다.

초등 4학년이 될 아이를 축하하고 싶었다.
큰 다는 것은, 무사히 별일 없이 커간다는 것은,
그것만으로도 축하할 일일지 모른다.
많은 것을 바라고, 해내라 하기 전에 존재 자체를
축하하는 것, 꽤 매력적인 순간이다.

아빠는 너의 걱정을 축하한다.

이러한 걱정은 살면서 몇 번, 아니 수 십, 수 백 번 너를 찾아올 것이다.

기죽지 말아라. 즐겁게 이겨내자. 아빠는 언제나 너를 축하해 줄 것이다.

가훈

이것은 가족에 대한 나의 약속이고 실천이다.
그리고 우리를 대표하는 한 마디 말이며,
우리의 미래이고 소박하지만 아름다운 다짐이다.
자라나는 아이에겐 어떤 의미가 될지...

우리 집은 왜 가훈이 없을까? 어린 시절 나의 궁금증이었다. 어린 마음에 "우리 집 가훈은 ○○○이야"라고 말하는 친구가 있으면, 이유는 잘 모르겠지만 괜히 부러웠다. 나중에 커서는 우리 집에 이것이 없던 이유를 나름은 이해할 수 있었다. 우린 지금 이 하루를 살아가기에 바빴구나. 어떤 미래를 생각하기보단 눈앞에 오늘이 치열했겠다. 어떤 말로 쓰인 개념보단 몸의 움직임이 더 필요했구나. 뭐 이런 생각으로 나름의 그 이유를 찾아볼 수 있었다.

조금 살만한 것일까. 난 오늘도 중요하지만 미래도 좀 살고 싶다. 가족의 삶에 괜찮은 이정표 하나는 세워두고, 그것 바라보며 살고 싶다. 이제 나도 어른이 되고 아이를 키우는 40대 후반의 가장이 되었다. 어린 시절 나의 아쉬움이 아들에겐 없기를 바랐다. 더 나아가 가족이 함께 무엇을 바라보며 전진하고 싶었다. 무엇보다도 우리 가족을 대표하는 정체성을 걸어두고 싶었다.

'우리는 대화하는 가족입니다.'

이것이 우리 세 식구가 정한 우리 집 가훈이다. 여러 후보들이 있었으나, 다들 너무 추상적이며, 개념적이고, 문장 자체에 해석이 필요했다. 그래서 직관적이며 현재적이고 심플하며 우리 가족을 대표하는 것으로 결정했다. 우리는 지금도 하루 2-3시간 이상을 아이와 함께 이야기하며 살고 있으니 우리를 표현하는 데 안성맞춤이다. 컴퓨터에 재미 붙인 아들에게 타이핑과 인쇄를 맡기고, 액자에 담는 것은 엄마가, 벽에 못 박아 그럴듯하게 전시하는 것은 내가 담당했다. 이로써 2024.02.25 우리 집 가훈이 탄생한다.

우리는 대화하는 가족입니다.

다시 봐도 나름 맘에 든다. 나는 대화가 넘치는 가정을 꿈꾼다. 가정 분위기, 심리적 안정, 아이 공부 등 모든 곳에 영향을 미치는 것이 대화이다. 공부하라는 말 백 마디보다 따뜻한 정서적 대화가 값지다. 그리고 이렇게 다정한 대화가 넘치는 가정에는 존재하기 힘든 것들이 있다. 이를테면 불화, 다툼, 오해, 갈등, 외면, 상처 같은 부정적인 것들이다. 반대로 좋은 기운들은 넘쳐난다. 화목, 이해, 웃음, 긍정, 소통, 신뢰, 사랑… 상상만으로도 멋스러운 단어들이다.

캔자스 대학의 베티 하트와 토드 리슬리는 다양한 인종과 경제적 환경에서 성장한 부모들과 자녀 사이에 오간 1천3백 시간 이상의 대화를 기록했다. (…) 결국, 우리가 부자로 태어나느냐 가난하게 태어나느냐는 별로 중요하지 않다. 저자들이 말한 바로는 인생의 성공과 실패, 행복과 불행을 가름하는 것은 '아이들과 그들을 돌보는 사람들 사이에 순간순간 오가는 대화의 양'이라고 한다.
(앤드류 뉴보그, 마크 로버트 월드먼, 왜 생각처럼 대화가 되지 않을까)

글 하나를 써서 붙였다고, 만사 해결되는 것은 아니다.

만약 그렇다면 세상 너무 심플하다. 언제나 늘 그렇듯 그에 걸맞은 실천이 필요하다. 정신 가다듬고, 가훈 하나 생겼다고 취하지 말고, 그에 어울리게 잘 살아가야겠다. 여전히 신문 보고, 읽어주고, 퀴즈 풀고, 대화하고, 독서하고, 좋은 문장 눈에 들어오는 문장은 나누고 공감하고, 오늘의 재미난 일 하나 꺼내 웃으며 말해준다. 내가 할 수 있는 것들을 하며, 가훈에 어울리게. 그렇게.

가훈은 고정 불변한 것일까.

강박에 시달려야 하는 건 아닐까. 마치 50년 업력의 회사, 그곳 창업주의 옛 말씀처럼. 언제든 암기하고 있어야 하며 그것을 잊으면 때론 직원으로서의 정체성을 의심받는 그런 것일까. 우리의 가훈은 그런 것이 아니다. 이것은 우리가 만들어가는 우리의 삶이니 우리 마음이다. 어느 순간, 많은 대화도 내려놓고 살아야 하는 순간이 올지도 모르겠다. 대화보다는 서로의 눈빛이, 서로의 생각이, 서로의 지지가 더 중요해지는 순간이 올지도 모르겠다. 함께 커가면서 그 순간에 맞는 어울리는 모습이 있을 것이다. 그때가 되면 새로운 문장을, 머리 맞대고 하나 만들어볼까 싶다.

우리는 공부하는 가족입니다. 우리는 꿈꾸는 가족입니다. 우리는 같은 곳을 봅니다... 뭐든 마음속에 올바른 가치, 가족의 정체성 하나는 키우면서 살면 좋겠다.

11살 아이는 나의 어린 시절과 달리 누군가의 물음에 답할 수 있겠다. 그 답변이 뭐 그리 중요하겠냐마는, 가족 모두가 그 가족에 대해서 어떤 대표적인 하나의 이미지로 떠올릴 수 있다는 것. 그리고 그 이미지가 어떤 글과 조화되어 떠오르는 것. 나름 의미 있다. 김형수 작가(삶은 언제 예술이 되는가)는 문자에도 울림이 있다고 말한다.

(이발소에서) 머리카락이 물려서 아얏 소리 지를 때 바로 정면에 푸시킨의 삶이라는 시가 그려진 액자가 있었습니다.

"삶이 그대를 속일지라도 슬퍼하거나 노하지 말라"

겨우 글자를 터득할 나이에 그게 무슨 뜻인지 어떻게 알겠습니까? 헌데, 거기에서 어떤 느낌이 옵니다. 문자도 울림을 가져서 마치 멀리서 종소리가 들려와서 내 마음에 닿으면, 그게 기뻐하라, 슬퍼하라, 이런 의미로 다가오는 게 아님에도 마음과 마찰되면서 어떤 뜻을 만들어 냅니다. 이발소에서 빛나던 두 점의 액자(또 하나는 워즈워드의 초원의 빛인데)야말로 제게 문학을 가르친 최초의 텍스트였던 거죠. (…)

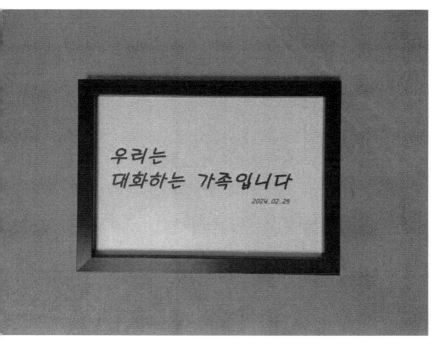

아들, 김형수 아저씨는 이발소에 걸린 액자에서 문학을 배웠다.

우리도 이 액자에 담긴 글에서 뭔가 배웠으면 좋겠다.

문자에도 울림이 있다는구나.

약속

"김대리! 내년 중점추진과제 작성 끝났나?"

"네 1차 정리는 했는데, 시간 조금 더 주실 수 있을까요?"

"일단 같이 한 번 봅시다. 중요한 거라"

"여기 이 아이템은 말이지 조금 더 미래지향적으로... "

직장 생활에서 빼놓을 수 없는 일이 있다. 내년에 중점적으로 추진해야 할 과제를 수립하는 것이다. 이름하여 중점추진과제 개선이 필요한 과제, 새롭게 추진할 아이템, 각 아이템들의 일정과 목표 등을 계획한다. 가정에는 없지만 회사에는 꽤나 중요하게 여겨지는 일이다. 그러나 그 중요성과는 달리 계획대로 일이 진행되진 않는다. 계획은 어디까지나 계획이다 그렇지만 이것은 의미 있다. 우리의 목표가 무엇인지 떠올리고, 모두가 같은 곳을 향해 달릴 수 있도록 한다. 때론 우리가 하나의 조직이었음을 상기시킨다.

그런데 왜. 가정에는 이런 것이 없을까. 가정도 미래를 계획하면 좋지 않은가. 혹시 우리 집만 없는 건가. 그렇지는 않을 텐데. 그럼 어디 한 번 만들어볼까. 이름하여 2024년 우리의 약속, 내년 한 해 동안 각자가 다른 구성원에게 해주고 싶은 아이템을 계획하기. 그리고 그것을 실천하기. 아주 간단하다. 그러나 너무 부담 갖지 말기. 더 즐겁고자 하는 것임을 잊지 말기. 그래서 아주 소박하게 정했다.

2024 우리 가족의 약속(서로에게 해주는 아이템)

○ 아빠 : 엄마에게(설거지 100% 독립),

　　　　아들에게(매일 아침 웃음 가득한 대화 - 신문 퀴즈)

○ 엄마 : 아빠에게(요리 - 삼겹살+마늘, 주 1회)

　　　　아들에게(라볶이, 주 2회)

○ 아들 : 아빠에게(잠자리 독서 때 한 페이지씩 나눠 읽기)

　　　　엄마에게(밥 잘 먹기)

선정된 아이템을 적어놓고 보니 뭐 아주 특별한 것 없는 정말 소소한 일상이다. 그런데 이 아이템을 선정하기까지 각자의 고민(내가 무엇을 해줄 수 있을지, 또 지켜갈 수 있을지 등)을 하게 된다. 나름 아이의 표정에 진지함이 가득하다.

우리는 서로를 배려했다. 그리고 스스로 약속했다. 이 얼마나 멋진 순간인가. 그런데 이것의 효과는 이뿐만이 아니다.

내일은 오늘과 다르다. 내년은 올해와 다르다. 이 절대적 명제를 알게 된다. 다만 이 명제는 가만히 있으면 절대 알 수 없다. 다르다고 생각해야 다른 것들이 채워진다. 다른 것이 채워져야 다름을 알게 된다. 우리는 이날 이 사실을 배웠다. 다가오는 한 해를 생각하며 무언가 계획을 세워본다는 것. 가족 모두에게 의미 있는 시간이 되지 않았을까 생각한다.

나는 세상에서 가장 아름다운 가정 하나를 만들고 싶다. 이런 작은 행동이 얼마나 내 목표에 다가가게 해줄지는 사실 잘 모른다. 다만 작은 것들이 모이고 모이면 분명 이 아름다운 프로젝트는 완성될 것이다. 내가 인지하지 못한 어느 순간에 불쑥. 어쩌면 이미 그렇게 살고 있는지도 모르겠다. 행복은 생각 보다 멀리 있지 않으니.

"아들아, 공부가 별게 있을까. 바로 이런 것이 진짜 공부다"
"내년에 또 새로운 계획으로 만나자"

 아들은 '한컴오피스' 실력이 제법 준수하다. 이럴 때
써먹어야지 언제 써먹을까. 아들은 메모지에 써놓은 우리의
계획을 타이핑한다. 그리고 이것을 거실 벽면에 걸어둔다.

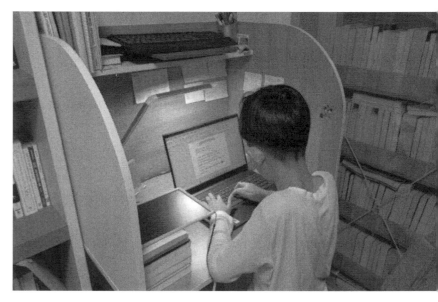

사랑하는 아들아,

아빠는 지금껏 너와의 약속을 지키고 있다. 실천은 늘 값지다.

하루의 시작, 가장 좋아하는 것부터

나는 회사를 조금 일찍 은퇴했다. 시간적인, 심리적인 여유가 생긴 덕분일까. 지금 나는, 내가 가장 좋아하는 것으로 내 하루를 시작한다. 이것은 내게 대단히 매력적인 것이다. 이런 생활 패턴을 갖게 되면서, 난 내일이 기다려지기 시작했다. 시작이 반이라는 말을 실감하듯 온 하루가 싱싱하다. 적어도 뭔가 하나는 나를 위해서 해냈다는 생각에 나를 조금 더 좋아할 수 있었다. 이는 모든 삶에 긍정적 영향을 미친다.

거창하게 적었지만, 그렇게 특별한 걸 하는 것은 아니다. 매일 새벽 5시. 신문을 읽는다. 좋은 문장을 필사하고, 미래를 전망하는 글을 만나면 그것이 진실일지 검증한다. 또한 11살 아이에게 유익한 글이 있으면 퀴즈 형태로 몇 개의 문제를 만들어 공유한다. 나는 아이와의 대화를 매우 좋아한다.

생각해 보니 난 예전 직장인일 때도 일찍 일어났다. 누구보다 이른 시간에 회사에 도착하여 그날 해야 할 일들을 정리하고, 전략을 수립했다. 오늘 누구를 만나서 어떤 이야기. 어떤 논리로 그들을 설득할 수 있을지. 머리로 말로 보고서로 사전 시뮬레이션을 했다. 건전했고 성실했다. 덕분에 하루가 순탄했지만, 그것은 내가 가장 좋아하는 것은 아니었다. 그저 내게 필요했던 것을, 나름 주도적으로 잘 해내려는 노력이었다. 살기 위한 몸부림이었을지도 모른다.

그러나 지금 내 하루의 시작은, 다른 누구를 위한 것이 아니다. 바로 나와 내 가족을 위한 것이다. 이것만큼 짜릿한 시작은 없다. 직장에서의 시작이 무탈한 하루를 위한 것이었다면, 지금은 뿌듯함, 따뜻함, 웃음, 행복, 사랑, 만족 같은 긍정의 감정들을 만든다.

**좋아하는 일을 하루의 선두에 세워두면
온 하루가 제법 그럴듯한 멋스러운 감정으로 채워진다.
최근에 알게 된 마법 같은, 아름다운 삶의 공식이다.**

아빠 : 아들아, 아빠는 요즘 아빠가 좋아하는 것으로 하루를
　　　시작한다. 이거 정말 좋다. 하루가 살맛 난다.
　　　넌 무엇이 좋으냐. 조금 건전한 것이면 좋겠는데.

아들 : 건전한 거... 일단 난 게임을 가장 좋아하는데.

아빠 : 게임 말고 다른 건 없냐.

아들 : 딱히, 게임 말고는 없어.

아빠: 그럼. 지금은 방학이니, 아침 먹고 씻은 후에,
　　　바로 게임으로 하루를 시작해 보는 건 어떠냐.

아들 : 뭐라고. 진짜야? 그래도 된다고... 고마워. 정말 고마워.

아들이 좋아하는 것을 선두에 세워두었다. 조금은 더
발전적인 것이기를 바랐지만, 중요치 않다. 좋아하는 것은 늘
변할 수 있고, 아이는 이제 고작 11살이다. 느껴 보길 바랐다.
하루의 시작을 자신이 좋아하는 것으로 하는 것의 기쁨을.
세상 살맛을 만들어 주는 이 단순한 삶의 공식을.

단지 공부와 게임의 순서를 바꾸었고, '무엇을 하면 무엇 할
수 있다'는 일반론적 개념을 버렸다. 이 별것 아닌 변화로
아이의 얼굴은 변했다. 진실로 밝아지고 웃음 가득했고
행복했다. 이제 아이는 내일을 기다리며 잠이 든다. 나처럼.

행복하게 살려고 사는 세상 아니던가
아주 간단히 우리네 삶이 행복해지는 방법이 있다.
좋아하는 것을 먼저.

절대. 진정. 기필코
순서 좀 바꾸었다고 아이는 어긋나지 않는다.

제 2장

조금 특별한 선물

여행, 장난감, 용돈...
부모가 아이에게 줄 수 있는 선물은 참 많다.

그런데 이런 것들은 익숙한 나머지 조금 식상하다.

특별한 재미, 특별한 감성, 세상 유일한 것,
그래서 시간이 지나면 점점 특별한 추억이 되는 것들.
그런 선물. 난 이런 게 좋다.

우리는. 공동 저자.

지금으로부터 4년 전. 우리는 공동저자가 되었다.

아들이 7살일 때, 함께 책 한 권을 썼다. 그리고 출판 사이트를 통해서 정식으로 책을 출간했다. 작가가 된 것이다.

당시 직장인이었던 나는 약 2주간의 긴 휴가를 얻었다. 휴가는 보통 4~5일 정도가 일반적인데, 2배 이상 긴 여유를 무엇으로 채울지 궁리했다. 난 아이와 노는 것을 꽤나 뿌듯하게 생각하는 아빠이니, 2주간 아이에게 의미 있는 것 하나를 남기고 싶었다.

무엇이 좋을까. 여행은 조금 흔했고, 게임은 늘 하던 것이고, 물놀이 시설도, 놀이공원도 다녀온 지 오래되지 않았다. 어쩐다. 그래! 내가 회사에서 매일 하는 보고서 작성. 아이와 지금까지 놀아준 것들을 보고서로 만들어 책을 만들자.

 책을 좋아하는 난, 예전부터 책을 써보고 싶었다. 책 좋아하는 사람들의 공통된 꿈일 테다. 아무튼 이런 이유로 예전부터 자가출판 서비스를 제공하는 플랫폼을 알고 있었다. 이곳에서 책을 출판하기 위해서는 몇 가지 조건이 있다. ① 최소 50페이지 이상의 원고 ② 저작권에 문제가 없는 창작물. 이 두 가지 외에 특별한 제약은 없다. 그들이 제공하는 형식에 맞춰서 원고를 제출하면 세상 단 하나뿐인 책이 출판된다. 더불어 한 권씩 '주문 생산'되는 방식이어서 목돈이 들지 않는다.

 이거 못할 이유가 없다. 열정만 있으면 되는 일 아닌가.
2020년. 당시 아이가 7살. 그동안 놀아준 사진들을 함께 보며 그중 좋았던 놀이를 아이와 상의한다. "아들 어떤 게 기억에 남아. 어떤 놀이가 재밌었어…" 이런 질문과 답변을 통해서 20여 개의 우리만의 독창적인 놀이들을 선별했다. 도둑잡기, '안방 탈출' 게임, 소설 쓰기, 공포 이야기, 소리로 소통하기 등이다. 세상 어디에도 없는 우리만의 것이다. 그러니 책으로 출판하기 안성맞춤이 아닌가.

완성 후 주문한 책이 집으로 도착했다.

두 명의 '작가'는 악수를 했던 것으로 기억난다.

하이파이브도 했을 것이다. 물론 기념사진도.

이것은 나에게, 우리에게 실로 기념할 만한 일이었다.

이것은 우리에게만 기쁜 일이 아니다. 책은 좋은 선물이 된다. 더불어 이것은 우리만의 추억이 아니던가. 할머니 할아버지를 빼놓을 수 없다. 그리고 삼촌, 고모도 빼놓을 수 없다. 그리고 또래 아이를 키우는 주변 지인들에게도 한 권씩 선물한다.

책을 만들면서 우린 많은 대화를 했다. 특히 아들이 말이 많아졌다. 신났을 것이다. "글, 사진, 놀이가 어떻게 책이 된다는 것인가. 가격이 매겨진 물건은 그저 구매하는 것이었는데, 어떻게 우리가 그것을 만들 수 있다는 것일까..." 일반적이지 않았으니 이해된다. "사진은 여기에 배치하는 게 좋겠다. 이 사진보다 저 사진이 더 잘 어울리지 않느냐. 이 놀이는 실제로 그렇게 재밌지 않았다. 다른 걸로 다시 쓰자. 이건 정말 재밌었다. 이거 다시 또 하면 좋겠다. 요즘은 왜 이런 놀이들이 뜸한 것이냐..." 질문과 요청은 다 대꾸하기에

벅찰 정도였다. 즐겁게 놀았고, 그것이 책이 되고, 다시 그것은 뿌듯함, 또 그것은 행복이 된다. 또 그것은 미래에 어떤 무엇이 될 것이다. 선순환이란 이런 것이다.

아이에겐 어떤 감정이 들었을까.

사실 짐작이 잘 안된다.

나에겐 이것과 견주어 볼 어린 시절의 경험이 없었다.

짐작은 엇비슷한 과거가 있어야 가능한 것이었다.

그래서 그냥 나 혼자 상상한다.

아들은 이날 가슴 벅찼을 것이다.

10년 뒤, 20년 뒤 이 책을 볼 아이의 얼굴을 떠올린다.

작가 되길, 함께하길, 정말 잘 한 것 같다.

아이와 함께 놀이하며 성장하며

창의적 아이로 키우기

홍범진, 홍지훈 지음

BOOKK♪

아빠의 지난 4년을 선물한다.

독서는 내게 대략 20-30년 된 습관이며 재미난 놀이이다. 세상 많은 일들이 그렇듯, 독서도 세월이 흐르면서 내게서 발전했다. 처음엔 그렇구나. 재밌다. 어떤 느낌적인 것들로 받아들였다. 그다음 5년 차 즈음엔 그렇구나, 이 건 제법 괜찮은데, 밑줄 치며 읽었고, 또 간혹 내 삶에 그 문장을 데려왔다. 그리고 10년 차 이후부터는 작가와 대화하듯 읽었고, 내 생각을 작가의 생각 옆에 메모했다. 그리고 새로운 아이디어가 떠오르면 삶에 접목했고 확대하여 재생산했다. 그렇게 책에 생각을 메모하며 읽는 습관은 나를 조금 빛나게 만들어주었다. 가족에 대한, 직장에 대한, 아이 교육에 대한, 인생을 더 잘 사는 것에 대한 이야기가 가득하다. 그러니까 10년이 훌쩍 넘는 과거의 생각이, 내가 읽은 책 속에 적혀 있다.

어느 날 문득, "아… 그거 어디에 적었더라, 그때 그 생각…" 이렇게 과거의 내 생각을 찾고 싶을 때가 있다. 이 책 저 책을 뒤적이다가 이내 발견하면 반갑다. 과거의 어떤 생각을 조금 더 큰 내가 마주하는 느낌. 이것은 나에게 여행이다. 시간 여행. 1년 전, 4년 전, 7년 전… 떠나고 싶은 곳으로 떠나면 된다.

시간 여행. 나와 나의 만남.

어느 날 이런 여행을 잘 정돈하여 편안히 다녀오고 싶었다. 만나고 싶은 작가의 생각, 그리고 작가의 생각과 어우러진 나의 생각을 만나고 싶을 때 바로.. '탁탁탁' 일이 처리되는 그런 느낌. 핸드폰 카메라를 켜고 메모가 적힌 페이지들을 사진으로 담는다. 그렇게 수 백 장 사진들을 찍었고, 그것을 모아 한 권의 책으로 만들었다. 물론 나는 가족을 사랑하는 아빠이니 책 사이사이에 가족사진을 몇 장 삽입했다. 정식 출판된 책은 아니지만 제본 형식을 띤 어엿한 한 권의 책이다.

책의 제목은 '독서, 삶을 다시 Design하다.(지난 4년간의 기록)'이다. 이제 나는 지난 4년의 생각이 궁금할 때 여기저기 찾아 헤매지 않는다. 이 책을 편히 여행한다.

그런데, 이 책 나에게만 의미가 있지 않다. 책 속에 메모한 두 개의 생각을 옮겨본다.

① 박웅현의 '여덟 단어' 속 한 구절이다.
저는 기회가 된다면 선생님들과 '경주 수학여행 가지 맙시다' 캠페인을 벌이고 싶습니다. 저는 경주로 고등학교 수학여행으로 처음 가봤습니다. 한 반에 70명인 남자고등학교의 수학여행은 상상불가입니다. 버스 열 대에 빼곡히 나눠 탄 아이들은 호시탐탐 선생님의 눈을 피해 수학여행 온 다른 학교 여학생들과 놀 궁리, 밤에 몰래 소주 한잔 마실 궁리뿐이고 이를 모를 리 없는 선생님들의 목표는 오직 하나죠. 사고 없이 돌아가는 겁니다. 그러니 선생님들 입에서 욕만 나오고 아이들은 눈치만 보는 여행을 하죠. (…)

이 문장을 보고 적은 메모다.
다른 목적은 다른 목표와 실천을 만든다. 또한 그것을 저지하기 위해 불필요한 에너지가 쓰인다. 선생과 학생, 리더와 팀원, 아빠와 아이는, 먼저 목적을 같이 해야 한다. 우린 지금 어떤 목적을 갖고 살고 있을까. 우리 가족의 여행에는 어떤 것들이 담길까... (19.08.22)

② 매리언 울프의 '책 읽는 뇌' 속 한 구절이다.

한 아이가 누군가의 품에 안겨 동화를 처음 들었을 때, 바로 그 순간부터 독서 학습이 시작되는 것이다. 생후 5년 동안 이런 일을 얼마나 자주 경험하는가, 못하는가가 후일 그 아이의 독서 능력을 예견할 수 있는 가장 좋은 척도가 된다. 여기서 거의 거론되지 않는 새로운 계층 시스템이 사회를 보이지 않게 갈라놓는다. 아이에게 구술 언어와 문자 언어적 기회를 풍부하게 제공하는 가정이 있는가 하면 그렇지 못하는 가정도 있다는 뜻이다. 한 유명한 연구에 따르면 유치원에 들어가는 연령이 될 때까지 언어적으로 빈곤한 가정에서 자란 아이와 풍부한 자극을 받고 자란 아이 사이에는 이미 3,200만 개 어휘의 격차가 벌어진다고 한다. (…)

이 문장을 보고 적은 메모다.

생후 5년의 독서가 한 인간을 결정하는 요소일 수 있다고 한다. 지난번 책에서 읽었던 표현, '인간은 그가 아는 단어, 그가 읽은 책의 총합이다.'라는 문장은 정말 사실일지도 모른다. 난 이 말을 공감하고 또 믿고 있다. 아들에게 지금처럼 잠자리에서 책을 읽어주자. 그 시간을 가장 고대하고 기대하는 마음가짐으로 함께하자. (2019.08.06)

제본 책 속에 사진에는 이런 종류의 글들이 빼곡히 담겨있다. 가족과 아이에 대한, 때론 회사, 삶에 대한 생각과 다짐들.

마침 아이가 아빠의 책에 관심을 보인다. "아빠. 그건 뭐야. 무슨 책인데?", "이거, 아빠가 만들었는데. 이 안에는 아들에 대한 이야기도 제법 많이 있어. 한 권 줄까. 나중에 커서 읽어보면 재밌을지도 몰라." 이 책을 선물한 때는 아이가 9살이었다. 책에 담긴 메모들을 다 이해하려면 아직은 시간이 더 필요하다. 다만 어떤 느낌은 있었을 것이다. 뭐 대략 이런 것들이 아닐까. "아빠가 책을 썼네. 아빠는 작가인가. 내 이야기도 있다고. 어떤 내용이지. 나중에 읽어야지…"

혹시 아이가 나중에 커서. 본인의 자녀에게 본인이 쓴 책을 선물할지도 모르겠다. 만약 그렇다면 이것은 아들에게 건네는 나의 유산이 아닌가. 갑자기 뜨겁다.

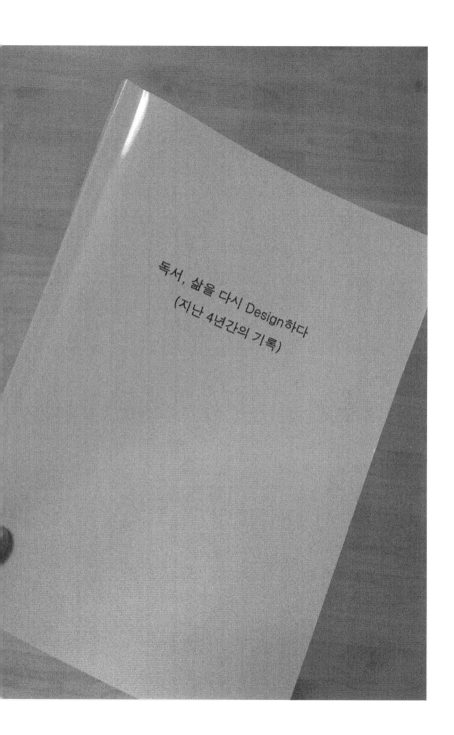

독서, 삶을 다시 Design하다
(지난 4년간의 기록)

아들, 네 이야기가 신문에 실렸어

아들이 얼마 전 처음으로 피아노 콩쿨대회에 참여했는데, 뜻밖에도 대상을 받았다. 아이가 느끼는 성취감, 자부심 등이 상상을 뛰어넘는다. 아이에게 이것은 지난 10년간 처음으로 겪어보는 공식적인 경쟁이었다. 어떤 한 가지 목표를 위해, 몇 달간의 준비와 노력을 했고, 그렇게 얻어낸 첫 결과였기에 감격과 흥분은 실로 대단했다.

특별한 선물을 주고 싶다. 꽃다발, 근사한 외식, 케이크… 뭔가 아쉽다. 궁리 끝에 인터넷에 '아들의 수상' 소식을 알리기로 했다. 감격스러운 순간, 조금 색다른 경험을 더했다.

아빠, 이게 뭐야. 어? 내 이야기네. 어떻게 한 거야. 어? 진짜 내 이야기인데. 아빠, 이건 또 뭐야. ㅋㅋ

아이의 생애 첫 콩쿨... 우리에겐 성공체험이 필요하다

자신감이라는 원동력을 얻기 위해 필요한, 작은 성취의 경험들

23.06.29 16:02 | 최종 업데이트 23.06.29 16:02 | 홍병진(lessence) ∨

【오마이뉴스의 모토는 '모든 시민은 기자다'입니다. 시민 개인의 일상을 소재로 한 '사는 이야기'도 뉴스로 싣고 있습니다. 당신의 살아가는 이야기가 오마이뉴스에 오면 뉴스가 됩니다. 당신의 이야기를 들려주세요.】

대부분의 사람들은 늘 성공하길 꿈꾼다. 어제보다 조금 더 나은 오늘과 내일을 바라면서 세상을 살아간다. 그러나 어떻게 매번 성공할 수 있을까. 일상의 작은 성공체험이 필요하다. 이런 경험들이 쌓이면 삶의 곳곳에서 원동력이 되어준다.

초등학교 3학년인 아이가 얼마 진 피아노 콩쿨에 처음으로 참여했다. 피아노를 배운 지 일년, 처음 도전해보는 공식 경연이다. 아직 어린 9살 아이에겐 '타인의 평가'라는 저울 위에서, 그간 해온 자기 노력의 무게를 달아보는 순간이다.

삶의 모든 순간이 그렇듯 처음은 늘 설렘과 두려움을 동반한다. 아이의 첫 도전에도 이런 감정이 가득했다. 그렇게 난생처음 경쟁이라는 구도에 들어갔다.

자기 의심이 확신으로 바뀌기까지

▲ 피아노

ⓒ 픽사베이

관련사진보기

"아빠, 내가 잘 할 수 있을까? 학원에서 다섯 명이 콩쿨에 참여하는데, 다들 나보다 나이가 많아. 그리고 나만 첫 도전이래..."

"첫 도전이면 어때서, 결과를 떠나서 도전하는 것 자체가 의미 있지 않을까, 그리고 처음이라 더 부담 없지. 아들, 잘하고 못하고는 중요하지 않아, 준비하는 과정 자체에서 배울 점이 있을 거야."

"그래. 그럼 한 번 해볼게..."

"아빠는 무언가에 도전하는 아들이 멋지다고 생각해."

56

다소 부담감을 갖고, 걱정 어린 마음으로 시작한 아들의 콩쿨 도전은 약 2개월간의 연습 기간을 거쳤다. 학원뿐만 아니라 누가 시키지도 않았는데도, 집에서도 틈나는 대로 피아노 건반을 두드리는 아이를 볼 수 있었다. 시키지 않은 것에 스스로의 의지가 더해진 연습, 바로 본인이 좋아하는 것에 몰입하는 아이의 모습이었다. 아들이 게임, 유튜브 외에 아이 스스로 몰입하는 순간은 나에게도 낯선 광경이었다.

> "퍼즐 하나를 맞추더라도 숨소리조차 죽여가며 집중한다거나 컴퓨터 게임을 하면서 화장실 가는 것도 잊은 채 완전히 빠져 있다면 그때가 바로 초집중, 즉 몰입의 순간이다. 몰입은 주위의 모든 잡념, 방해물들을 차단하고 원하는 어느 한 곳에 자신의 모든 정신을 집중하는 일이다.(...)몰입의 경험은 우리를 배움으로 이끌고, 삶에 대한 강한 열정을 불러일으킨다는 이야기다."
> -'교실이 달라졌어요 (자기주도학습 편)' EBS 교실이 달라졌어요 제작팀

긴장감과 설렘을 동시에 갖고 시작된 피아노 콩쿨 연습은 아이를 몰입이라는 새로운 세상으로 연결해 주었다. 아마도 이런 마음가짐의 동기는 좋아하는 것을 잘 해내고자 하는 아이의 심리와, 약간의 경쟁심과, 결과가 공개된 다는 점이 만들어 낸 것이 아닐까 싶다.

어디 이런 환경이 아이들 세상뿐인가. 회사라는 곳은 늘 경쟁을 요구한다. 그리고 그러한 경쟁 시스템 속에서 더 나은 결과를 만드는 곳이다. 경쟁이 없는 회사는 사실 생존하기 어렵다. 공개된 경쟁과, 무언가 더 잘 해내고 싶은 인간의 심리가 더해져, 우리는 회사에서 몰입이라는 순간을 필요로 한다.

그리고 이런 과정이 성과, 성공이라는 단어와 연결될 때 우리는 한 번 더 도약하게 된다. 바로 자신감이라는 강력한 무기를 얻으면서 말이다. 피아노 콩쿨 대회가 끝나고 며칠 뒤, 아이가 집으로 들어오면서 큰 소리를 지르며 말했다.

"아빠, 엄마!! 나 대상이야~~ 상장하고 트로피도 받았어. 근데 내가 어떻게 대상을 받은 거지? 내가 그렇게 잘했나?"

"아들 고생했네. 축하해. 스스로 열심히 노력했잖아. 그리고 충분히 잘했어. 예전에 어린이집 다녔을 때도 상 많이 받았잖아. 이번엔 왜 이렇게 좋아해?"

"그건 그냥 다 주는 거고, 이건 좀 다르지. 내가 노력해서 얻은 거니까~"

▲ 파이노 롱쿨 수상

ⓒ 홍명진

관련사진보기

집에 오는 발걸음마저 재촉한 듯, 얼굴 한가득 수상의 기쁨과 결과에 대한 자부심, 성취감 등이 어우러진 모습이다. '내가 왜?'라는 말을 연신 내뱉는 것을 보니, 아들은 아직은 본인이 얻어낸 결과, 즉 자기 실력을 확신하지는 못 했다. 그러나 앞으로 이런 성공체험이 회를 거듭하면 의심은 확신으로 전환될 것이다.

할 수 있다면, '내가 할 수 있을까?'라는 의심의 말보다는 '좋아! 할 수 있어!'라는 자기 긍정과 확신을 가득 담고 사는 아이로 커가길 바란다. 아이의 성장을 지켜보며, 아이가 좋아하는 분야에서 이런 경험들을 지속할 수 있도록 도와주는 것이 어쩌면 부모의 역할일 수 있겠다.

> "학습 동기를 불러일으키는 원동력은 자신감이다. 자기효능감이라는 말로 표현하기도 한다. 스스로의 능력에 대한 믿음으로, 주어진 과제를 성공적으로 해낼 수 있는지에 대한 자신감을 말한다. (...) 스스로 행동해서 달성하는 성공의 경험이 중요하다. '너는 할 수 있어'와 같은 주위의 격려도 자기효능감을 높이는 좋은 방법이다."
> -'교실이 달라졌어요 (자기주도학습 편)' EBS 교실이 달라졌어요 제작팀

경쟁의 이점

경쟁은 때론 우리를 힘들게 만들 수 있다. 그러나 스스로 좋아서 하는 관심 분야에 있어, 약간의 경쟁과 공식적인 평가는 자기를 긍정적으로 인식하고 자부심을 얻을 수 있는 좋은 기회가 된다.

통상 올바른 성공은 정확한 자기 인식에서 출발하곤 한다. 비록 좋지 않은 결과가 있을지라도 적당한 도전은 노력과 동기를 유발한다. 아이에게 이번 경험이 자신감으로 이어지길, 성장의 원동력이 되어주길 기대한다.

"아빠, 이번 콩쿨하면서 좋은 점이 많았어. 상, 트로피, 선물, 마라탕(학원에서 원장님이 사주는)…ㅎㅎ"

"그런 것도 좋지만, 아빠는 아들의 도전하는 모습이 더 멋졌어. 다음에 또 한 번 도전해 보는 건 어때?"

"그럴까. 음, 그래 한번 해보지 뭐. 근데 잘 안되면 어쩌지?"

"걱정하지 마, 잘될 거야. 그리고 혹시 못하면 또 어때? 그것도 좋은 경험이야."

▲ 들판

ⓒ 픽사베이

관련사진보기

복싱 스파링. 이것은 입에서 나는 소리가 아니다

복싱 스파링. 시작을 알리는 종소리가 들린다. 온몸의 긴장된 근육에 힘을 빼고, 다리는 살짝 굽혀 중심을 아래쪽으로 옮긴다. 혹시나 날아오는 상대의 주먹엔 가드를 올려서 글러브로 막고, 때론 상체와 다리를 움직여 피하기도 한다. 피하기만 하면 대책 없는 대결이다. 두 눈 부릅뜨고 적당한 타이밍에 손을 뻗어야 한다. 그렇다고 정직하게 뻗기만 하면 상대를 타격할 수 없다. 나름 빠른 스텝과 함께 거리를 좁히며 전광석화와 같은 주먹이 필요하다. 이때도 직선적인 공격은 노출되기 십상이고, 상대를 교란하는 변칙적인 곡선의 움직임이 필요하다. 모든 움직임에 전략이 있어야 한다. 수 십 대를 때리고 맞고 그러다 보면 다시 종이 울린다. 이렇게 3분이 지나면, 온몸은 땀으로 흠뻑 젖는다. 사각의 링에서 내려오는 기분은 꽤나 짜릿하다.

재미난 사실 하나는, 이곳에선 맞았지만 (때려 줘서) 감사하다고 말하고, 때렸지만 (상대의 아픔에) 미안하다고 말하지 않아도 된다. 현실과는 사뭇 다른 특별한 세상이다. 맞았지만 때려주어 감사한 곳. 이 역설적인 공간. 아무튼 이런 독특한 재미와 건강이 있는 이 운동을 아들에게 주고 싶다.

"아들, 아빠랑 복싱 체육관 다녀보는 거 어때. 이 체육관은 아빠가 한 10년 다닌 곳이라, 관장님 코치님도 잘 알고, 사람들도 많이 알아서 같이 가면 적응하는 데 좋을 것 같아. 운동도 많이 되고, 나름 재밌어. 생각보다 쉽게 다치는 운동도 아니야. 아빠가 좀 가르쳐 줄 수도 있는데. 어때??"

이렇게 나의 권유로 아들은 복싱을 시작했다.
이곳은 마음먹고 운동을 하려고만 한다면 건강을 키우기에는 안성맞춤이다. 체육관엔 다양한 운동 기구들이 있다. 그리고 지리적인 장점이 있는데, 스타디움 내부에 있는 시설이라서 달리기를 하고 싶을 때는 언제든 400m 트랙 위를 달릴 수도 있다. 뻥 뚫린 동그란 하늘을 올려보면 기분 끝내준다. 아무튼 아들은 복싱을 시작하고 대단히 건강해졌다. 줄넘기 200개, 팔굽혀펴기 20개, 윗몸 일으키기 20개. 섀도복싱 3라운드,

샌드백 타격 3라운드… 매일 반복되는 훈련으로 제법 팔다리에 근육이 붙었다. 아들도 그걸 아는지 운동 중간중간에 종아리와 팔의 미세한 변화를 체크한다. 잔뜩 힘을 주곤, 거울을 노려본다. 이 광경 웃긴다.

이제 어느덧 복싱 경력 8개월. 아직 초보지만 제법 체력도 오르고, 자세도 괜찮다. 드디어 스파링을 좀 해주면서 놀아야겠다. 실전 감각도 키워줄 겸… 그런데 이 대결은 다른 사람과 하는 스파링과는 사뭇 다르다.

긴장감은 제로이고, 일방적인 방어만이 허용되며, 때리기 쉽도록 간격을 유지한다. 때론 힘들면 멈추라고 지시하고, 난 멈춰야 한다. 긴장감보다는 웃느라 정신없다. 아주 느슨하기 짝이 없는 대결이다. 그렇지만 아들은 땀을 비 오듯 흘리고, 두 다리가 풀려 주저앉기 직전이다. 이렇게 몇 대 맞다 보면 3분 대결이 끝났음을 알리는 종소리가 울린다. 좀 우습지만 대결이 끝난 시점부터가 오히려 제대로다. 각 잡고 마주 서서. 깍듯하게 인사하고, 곱게 두 손 모아 서로의 글러브를 부딪힌다. 그러고는 뜨겁게 안아주고 '수고했다' 말한다. 'WBC 타이틀매치'의 한 장면과 진배없다.

복싱. 특히 스파링에는 여행, 독서, 영화, 게임, 그리고 다른 운동에서는 느낄 수 없는 독특한 감정이 든다. 상대를 먼저 더 많이 정확히 때려야만 이길 수 있는 야수성, 상대보다 민첩하지 못할 때 느낄 수밖에 없는 고통 두려움, 체력은 이미 방전이지만 몸을 움직여야 하는 절박함... 그런데 종료되는 순간 또 언제 그랬냐는 듯 서로를 안아줄 때, 세리머니와 함께 터지는 동료애... 뭔가 특이해도 참 특이하다. 긴장, 두려움, 공포, 흥분, 땀, 배려, 안도... 복잡한 감정 때문인지 묘하도록 독특하게 매력 있다.

함께 복싱하며
아이와 난 이렇게 몸으로 대화한다.
이곳에선 분명히 서로에게 오고 가는 것이 있다.
아무튼 대체로 그것들은 가슴 뜨겁다.

아이와 함께 땀 흘리며 운동한다는 것은. 색다른 감정을 배운다. 그래서 이것은 또 다른 배움이며 축복이다. 세월은 또 흐르고, 그만큼 아이는 클 것이다. 그때는 아들과 링 위에서 실감 나는 대결을 해볼 수 있겠다. 기다려진다.

함께 즐겁게 운동하자. 너 자신을 지킬 수 있는 사람이 되거라.

그리고 지난번에도 말했지만, 이것은 입에서 나는 소리가 아니다.

너에게 보내는 편지 (운치 가득한 어느 새벽)

새벽 5시.

오늘도 어김없이 신문 읽으며 너와 함께할 퀴즈를 준비했다. 삼성전자에 대한 기사이다. 네이버, 유튜브, 나무위키 등을 검색하며 '어떤 이야기를 해주면 유익하며 재밌을까?'를 고민하면 재미난 사실을 알게 된다. 조금 뒤, 아침식사 시간에 공유하마. 곤히 자고 있거라. 아무튼 너와 하는 퀴즈 덕분에 아빠가 매일 재밌다. 고맙다. 1시간의 즐거움 네 덕분이다.

비는 그치고. 창문으로 들어오는 바람 냄새가 좋다. 비가 그친 지금이 먹이를 마련하기 좋은 때일까. 또 비가 온다는 사실을 감지했을까... 새들이 몹시 바쁘다. 연신 지저귄다. 흐릿한 날씨, 비, 비 냄새, 새소리, 책상에 앉아 책 읽는 지금 제법 낭만적이다. 새벽의 고요함과 가치 있는 어떤 행동이

결합되면 짜릿하다. 넌 아직 모를 것이다. 새벽에 일어난 적이 거의 없을 테니. 이렇게 약간 운치 있는 괜히 감성 돋는 날 책 한 페이지. 끝내준다. 아빠가 매우 좋아하는 것이다. 조금 더 커서 한번 해보거라. 오늘도 아빠가 제일 좋아하는 구본형 아저씨의 책을 읽었다. 이 책은 올해 벌써 6번째 보는 것이다. 우려난다. 사골국물처럼 책도 우려난다. 이 맛이 진정 제맛이다. 아무튼 오늘도 메모가 적히는 문장이 있다.

익숙한 것과의 결별

황익선 씨는 광화문 세종문화회관 뒤쪽 당주동 거리에 여의도 가게보다 훨씬 크고 깨끗한 순댓국집을 새로 열었다. 그리고 강남에 2호점을 열어 모두 세 개의 순댓국집을 경영하고 있다. 그는 사장이 되었으며 일가친척이 참여하는 가족 기업을 만들었다. 스스로 고용을 창출한 것이다.

이런 사람들은 언제나 현실에 만족하지 않는 사람들이다. 그들은 한때 점원이었고, 여급이었고, 새벽부터 밤까지 영성한 식당에 매여 사는 옹색한 국밥집 주인이었으며, 장래가 불투명한 아마추어로서 인생을 시작한 사람들이다. 그러나 그들은 자기 속에 있는 특별한 재능을 알고 있었고, 그것을 이용해 스스로 자신의 직업을 만들어 간 사람들이다. 그들은 힘들고, 노동의 대가에 못 미치는 초라한 돈벌이 속에서 자기 원칙에 따라 미래를 그려 간 사람들이다. 무력감과 나날의 어려움 때

너도 잘 알다시피 아빠는 책을 보며 메모하는 습관이 있다. 아빠가 아주 좋아하는, 소중히 아끼는, 때론 자랑스럽기까지 한 습관이다. 왜 자랑스럽냐고?? 지난번에 이 메모들을 엮어 너에게 건네준 책 선물 기억하느냐. 아마도 책 제목이 '독서, 삶을 다시 Design 하다 (지난 4년간의 기록)'이었다. 물론 사진을 모아놓은 제본 책이지만 아빠의 4년 삶이 담겨있는 책이다. 너에 대한 생각, 가족에 대한 생각, 회사에 대한 생각..... 이것은 아빠의 역사였다. 아무튼 메모가 책이 되었다. 그리고 그 안에 담긴 어떤 아이디어들은 현실이 되었고, 그 덕에 직장인일 때 나름 좋은 평가와 대우를 받았다. 참고로 오늘에서야 밝히지만, 그 책을 만들며 아빠는 울었다. 슬프지는 않았는데... 왠지는 정확히 모르지만 혼자 눈물을 흘렸다. 아마도 소중한 순간들이 떠올랐겠지. 행복이었을 것이다.

이야기가 메모에서 책으로 빠져 흘렀다. 다시 오늘의 메모로 나를 데려온다. '자기 원칙에 따라 미래를 그려나간 사람들'이라는 문장이 있다. 아빠는 네가 종업원이든 옹색한 가게의 주인이 되든 혹은 장래가 불투명한 아마추어이든 상관없다. 건강하고 건전하게 자라다오. 다만, 저 책 속에도 쓰여있듯, 자기 원칙에 따라 미래는 그렸으면 좋겠구나. 보잘것없음에서 보잘 것 있는 것들을 만들어내며 살면 좋겠구나.

"그런데 어떻게..."

아빠 개인적으로 실감, 체감하고 있는 '성공 방정식'이 하나 있다. 보잘것없어 보이는 것들을 보잘 것 있게 만드는 방법. 아빠의 원칙이다. 아주 간단하다. 매일 무엇을 해보거라. 처음엔 의심한다. 중간에 또 의심한다. 매일 하지 못하도록 의심은 계속된다. 생각만큼 쉽진 않지만, 이걸 이겨내고 시간이 쌓이고 또 쌓이면 무언가 잡히는 것들이 생긴다. 잡힌 것이 매우 작은 것일 수도 있다. 그러나 어쨌든 잡힌다. 어느덧 실체가 생기면 그것은 대견하다. 글이 쌓여 책으로 변하고, 신문이 쌓여 강의가 될 것이다. 그리고 6km 러닝은 새로운 심장이 된다. 그리고..... 또........ 아빠는 요즘 이 삶의 원리, 방정식을 터득 중이다. 그래서 재밌고 내가 조금씩 좋아진다. 일단 지금 쓰고 있는 책이 완성되면 너에게 가장 먼저 선물하마. 책의 주제는 늘 그렇듯 너와 재밌게 논 것들이며, 매일매일 쌓아둔 것들을 모았다. 그것이 책이 됐다.

매일 하면 성장할 수밖에 없다.

매우 조금이라, 조금의 변화라서 느끼기 어렵고 그 때문에 꾸준함은 방해된다. 이것을 망각하고 가다 보면, 어느덧 그런 자신이 마음에 든다. 나에게 상냥하고 나를 사랑하는 것. 매우 매력 있다. 모든 삶의 지점들이 희망차다. 아빠는 하고 싶은 것이 많다. 그중 하나가 우리 가족이 각자 원하는, 되고 싶은 하고 싶은 것에, 그리고 조금은 건전한 발전적인 것에, 하루 30분을 투자하며 사는 것이다. 서로의 30분을 격려하고 응원하며 반응하고 도움 주면서, 그렇게 시간이 흘러 그 30분으로 얻어낸 것들을 서로 축하하며 감탄하고, 그렇게 서로를 인정하고 사랑하며 말이다. 그렇게 매일 조금씩 함께 성장하는 우리가 되었으면 좋겠다. 네가 하고 싶은 것이 생길 때까지 아빠 아빠의 것을 갈고닦고 있으마. 천천히 합류하거라

구본형 아저씨 책을 보다가. 메모를 쓰다가.
갑자기 글이 쓰고 싶었다. 쓰다 보니 편지처럼 써졌다.
오늘도 좋은 하루 보내거라★

2024년 7월 6일
오늘도 가장 좋아하는 것으로 하루를 시작하며

제 3장

따뜻한 대화

대화에는 관심, 사랑, 호기심, 설렘, 가치관 등 많은 것들이 담긴다.

특히 따뜻한 대화는 그 자체로 배움이고 성장이다.

아이와 나누는 대화가 늘 즐거운 이유이다.

피곤한 아침을 깨우는 소리

"시계가 없는 세상 사람들은 약속을 할 때 이렇게 하지. 내일 아침 해가 저기 저 언덕 위에 걸쳐지면 그때 만나자..." 가수 안녕하신가영의 '10분이 늦어 이별하는 세상'의 노랫말이다. 신문을 읽다가 눈에 들어온 문장이다.

이 감성 돋는 표현, 아이에게 재미나게 전해주고 싶다. 아침식사가 차려진 식탁. 아빠와 엄마는 이미 앉아 있는데, 잠 많은 아들은 아직 이불 속이다. 소리쳐 깨우는 건 구시대적이고, 조금 세련되게 아이를 깨우고 싶다. 마침 좋은 표현을 봤으니, 응용을 좀 해볼까. "시계가 없는 세상, 해가 저기 '풍림아파트' 뒤편 언덕 위에 걸쳐지면 그때 식탁에서 만나자..." 살짝 먹힌 듯 아이가 눈 비비며 이야기한다. "아빠 그건 또 뭔데! ㅋㅋ" 그러나 아직 이불을 걷어차진 않았다.

역시 지시형 호통을 치긴 싫고... 달콤한 알람이면 좋겠는데. 이번에는 나의 주특기인 퀴즈를 시도한다.

"사람들이 버스를 타고 다니잖아, 버스에서 잃어버리는 물건. 분실물 중에 가장 많은 게 무엇일까?" "핸드폰" "그걸 어떻게 알았지!" 이렇게 말했지만, 핸드폰은 맞출 수 있을 거라 예상했다. 그래서 다시 질문한다. "아들, 그럼 두 번째는 뭐지" "지갑" "그걸 어떻게 알았지!" 연이어 두 개의 물건을 맞추었다. 이쯤 되니 조금 놀랍다. 그래서 마지막 질문을 던진다. "그럼 그다음으로 많이 잃어버리는 물건은 뭐게" "가방"... 진실로 소름 돋았다. 아이가 비몽사몽인 상태로 모든 문제를 맞혔다. 뭔가 해냈다는 느낌이 들었을까. 왠지 의기양양한 표정으로 씩 웃으며 네 발 짐승처럼 뚜벅뚜벅 식탁으로 기어 나온다. 기분 좋게 기상한 아들. 즐거움 양껏 취하라고 호들갑스레 연이어 질문한다.... "도대체 어떻게 세 가지를 다 맞추었냐?" 그랬더니 "당연히 핸드폰이 1등 일 거고, 그다음은 지갑이 잃어버리기 쉬우니까 그렇고. 가방은 찍었지. 왠지 그럴 것 같더라고..." 대답한다. 가방. 가방. 가방은 참 신기방기하다.

뭔가 신의 계시가 전해진 느낌. 지금 이 타이밍 놓칠 수 없다 엄마가 갑작스레 부탁한다. "아들, 빨리 숫자 6개를 말해봐!" 눈치챈 아들은 거침없이 숫자를 던진다... "32, 9, ..." 이렇게 이번 주 로또 번호가 탄생했다. 갑작스럽게 벌어진 상황이지만... 복권을 안 살 수 없는 노릇이었다. 땅을 치고 후회하는 아픔이 있어서는 안 된다.

오늘은 아들의 늦잠을 깨우는 시도로부터 '아름다운 우리만의 이야기' 하나를 만들었다. 아이의 늦잠에서 출발하여, 신문에 실린 노랫말로부터 달콤한 알람을 만들고, 뜬금없는 튀어나온 퀴즈는 아들을 밀림을 호령하는 의기양양한 사자처럼 만들었다. 그리고 또 신의 계시로 6개의 번호가 탄생한다. 웃었고, 즐거웠고, 뭔가 꽉 찬 풍성함이 있었다.

이것은 오늘 하루 만의 즐거움이 아니다. "아들 너 10년 전에 사자처럼 기어 나오던 거 기억나? 넌 정말 똥촉이었다. 냄새가 날 지경이었어. 그날 양가 할머니 모두 로또를 사신 거 아냐?" 뭐 이런 추억 돋는 이야기 말이다. 떠올리고 싶은 날이면 언제든 소환될 것이다. 그러면 그때 또 즐겁다.

나는 삶을 아름답게 만드는 방법을 알고 있다. 매우 간단하며 쉽고 확실하다. 일상의 소소한 일에 '온기 가득한 재미난 시도'를 더하는 것이다. 이것이면 충분히 삶은 아름답다. 늦잠, 신문, 시계, 태양, 퀴즈, 로또... 같은 작은 것들이다. 잠꾸러기 아들을 내일은 또 어떤 표현으로 깨워볼까...

오늘 회의 때 갑돌이에게 낸 짜증은 아침 식탁에서 벌어진 작은 다툼이 원인일지 모른다. 오후 2시경 길동이의 큰 실수에도 웃을 수 있었던 것 역시 아침 식탁 아이의 웃음에서 비롯된 것일지도 모른다. 우리의 시작. 가족의 아침이 즐거워야 하는 이유이다.

행복하냐. 그럼 더 행복해라

스으으읍... 이야야야... 맛있다!!
아빠, 아빠, 이거 매운데 진짜 맛있어!!

까르보 불닭 볶음면을 한 사발 먹고 난 후, 벌써 다 먹었다는
아쉬움과, 입속 남아 있는 향에 재차 입맛을 다시며, 아이가
나에게 바람 소리 실어 건네는 감탄의 표현이다. 이것이
이렇게도 즐거울까.

아이는 어떨 때 이런 표현을 할까. 우울할 때, 언짢을 때,
힘들 때, 슬플 때... 이럴 때는 저런 표현 나오지 않는다.
그러니 적어도 지금 아들의 기분은 대단히 흡족한 것이다.
그리고 행복하다. 컵라면 하나로 저렇게 기쁠 수 있다는
사실이 놀랍고 부러울 지경이다.

행복한 이미지는 떠올릴수록 회춘한다. 또한 기쁨은 나누면 나눌수록 배가된다. 그날 있었던 좋은 기억을 일기장에 적는 것만으로도 우린 더 즐겁게 살 수 있다. 많은 책에서 제시하는 행복하게 사는 비법이다. 어라! 이거 간단하다. 그렇다면, 이 조언들 조금 틀어서 실천해 보면 어떨까.

지금, 이런 행복을 자주 느껴라.
"아들, 넌 별것 아닌 이 까르보 불닭볶음면이 그렇게도 맛있냐. 이게 그렇게 좋다면, 이따 저녁 먹고 야식으로 한 사발 더 해라. 내일도 먹고, 모레도... 원 없이 먹도록 해라. 아빠가 집에 '불닭 시리즈'가 떨어지지 않도록 앞으로 최선을 다하마. 어떠냐? 생각만으로도 행복하지?"
"응응 ㅋㅋ"

아들아 너의 행복을 대하는 자세는 정말 축복이다.
"아들, 일상의 작은 것에 행복을 느끼는 건 참으로 축복이다. 이게 쉽지 않은 거야. 지금 있는 것에 만족할 줄 모르고 점점 더 큰 욕심을 부리면, 그 사람은 끝끝내 행복할 수 없다. 자기 욕심에 지쳐서 늘 힘들다. 바로 자기 앞에 있는 소중한 것들에 늘 무심하다. 그런데 지금 너는 집 앞 편의점에서 손만 뻗으면 잡을 수 있는 1800원짜리 물건에 이리도 행복하니... 참으로 대견스럽다. 그리고 부모로서 한편으로 다행스럽다. 10만 원짜리를 이리도 매일 찾으면... 고맙다 아들아!!"
"응응 ㅋㅋ"

행복은 전염되고, 배우는 감정이다.
"옆에 와서 지금 몇 번째 이야기를 하는 것이냐. 그 바람 섞인 너의 감탄사 너무 가까이 이야기하면 좀 부담된다. 냄새도 좀 나고 말이야... 그렇지만 기분이 나쁘지만은 않구나. 아들이 행복하다는데 기분 나쁠 부모가 어디 있겠냐. 한편으로 너의 이런 소확행의 자세가 부럽다. 아빠도 이건 좀 배워야겠구나. 이따 저녁엔 아빠랑 불닭 함께하자꾸나 ㅋㅋ"
"응응 ㅋㅋ"

아들과 나눈 대화를 모두 정확히 옮기려니 쉽지 않다. 그러나 오고 간 대화와 분위기는 위 글에서 크게 벗어나지 않는다. 아이의 반응 또한 모두 단답형이긴 하지만 행복이 가득한 긍정의 대답뿐이다. 이런 대화는 한 10분 정도 시간을 끌었을까. 아들은 그 10분만큼 더 행복했을까. 아니면 학원에서 피아노를 치고 있을 지금도 행복한 감정은 계속될까.

장담할 순 없다. 그러나 분명한 것이 있다. 아이의 행복한 순간에, 기름을 부었다. 아들의 기쁨에 맞장구치며 그 기쁨의 원인이 되는 것을 무한 제공하기로 약속했다. 소확행의 자세를 대견스러워 하고 칭찬했으며, 더불어 그 기쁨을 함께 나누자고 제안했다. 이쯤이면 내 할 일 잘한 듯싶다.

부모는 자녀에게 줄 수 있는 '컨트롤 가능한 행복'을 잔뜩 가지고 있다. 통상 조금 주저하게 되는 것들인데 아끼지 말고 꺼내어 내주면 효과는 빠르게 나타난다.

간단하다. 호응이다.
그 결과는 대게 웃음, 만족, 행복이다.

일상의 소소한 것에, 행복을 담았다. 이것이 '공부해'라는 말보다 더 의미 있다. 수학 공식 하나 외는 것보다 가치 있다. 그리고 그것을 아들도 알기 바란다. 인생은 즐겁고자 사는 것이다. 모든 즐거워야 한다. 이것이 늘 우선이다.

대화에 작은 의미 더하기

책을 읽을 때 유독 생각이 멈추고 곱씹게 되는 문장이 있다. 우린 이곳에서 때론 지혜를, 때론 용기를, 때론 인생의 전환점을 만나기도 한다. 대체로 이런 문장은 힘이 넘치고, 일반적이지 않거나, 살짝 꼬여 있다.

자음이 생겨나기도 오래전
짐승의 표피를 몸에 두른 사람들이
모닥불 곁에 모여 서서
모음으로만 서로 이야기를 나누고 있을 때 (…)
(빌리 콜린스 - 첫 꿈)

이 표현 멋지다. 아마도 나라면 '정확한 의사소통에 어려움이 있던 원시시대'라고 했을 텐데…

이런 멋짐을 아이와 함께할 방법은 없을까. 나는 문장을 아름답게 만드는 시인도, 소설가도 아니니, 그저 일상의 대화에 작고 재미난 표현 하나는 덧붙일 수 있겠다. 그래서 아이와의 대화에 종종 말 만들기, 말 꼬기, 엉뚱하게 갖다 붙이기 등의 놀이를 자주 시도한다. 엉뚱해서 더 재밌다.

얼마 전부터 거실에 있는 뻐꾸기시계가 말썽이다. 저녁 늦은 시간부터 새벽시간에는 원래 뻐꾸기는 울어서도 안되고, 태엽이 돌아가는 소리가 커서도 안된다. 새벽에 우는 뻐꾸기는 반갑지 않으니까. 그런데 거실 시계가 말썽을 부린다. 새벽에 잠을 깨우는 태엽 소리. 그래서 아이와 시계 설명서를 다시 보며 몇 번을 다시 설정해 보지만 소리는 계속된다. 시계를 버릴까 생각하던 차에 건전지가 세 개나 들어있는 것에 관심이 간다. 이 녀석이 뻐꾸기 밥이구나. 우리는 시계만 살리고, 뻐꾸기는 죽인다. 그리고 한 마디.

"아들, 더하기 보다 빼기가 오히려 삶에 도움이 되기도 하네. 회사에서도 그래 회사에서도 리더가 제일 먼저 해야 하는 게 이런 빼기야. 우리 아들은 뭘 빼볼까?"

동네 공원으로 산책을 간다. 아직 어린아이에게 산책은 게임만 못하다. 얼른 집으로 돌아가 좋아하는 게임을 하고 싶은 눈치다. 한 바퀴만 걷고 돌아가기로 했다. 모처럼 나온 산책, 아쉬운 마음에 한마디를 건넨다.

"옷이 사람이면 좀 아쉽겠다.
오랜만에 상쾌한 바람 좀 쏘이나 기대했을 텐데."
"무슨 옷이 서운해~~ 아빠 감수성이 이렇게 풍부했어.
오늘 왜 그래 ㅋㅋ"
"아빠 호수 같은 사람이야. 왜 이래 ㅋㅋ"

별거 아닌 말에 감수성이란 단어와 웃음이 터진다. 우리가 좋아하는 말놀이다. 일단 많이 대화하고, 이렇게 뜬금없는 말들을 붙이고, 약간의 개념화를 시도한다. 표현이 달라지면, 생각도 달라지지 않을까. 살짝 비틀어진 표현들은 머릿속 어딘가를 둥둥 떠다닌다. 그러다 어느 순간, 생각지도 못한 곳에서 튀어나온다. 우린 그런 순간을 '창의, 참신, 센스, 스마트'라는 단어로 인식하고 있을지도 모르겠다.

바늘은 살고, 뻐꾸기는 죽었다.

그날 이후 뻐꾸기는 늘 몸을 반쯤 내민 채 앉아 있다.

너의 1만 시간

이제 며칠 있으면 아이가 초등 4학년이 된다. 어느덧 11살. 살아온 세월만큼 시간이 흐르면 20대 청년이 되겠다. 세월 참 빠르다. 나름 바르고 멋지게 커가는 아이에게 감사한 마음을 담아 "아들. 지금껏 잘 커줘서 고맙다"라는 말을 건넨다. "응, 갑자기?" 뜬금없다는 반응을 보였지만, 본인도 알 것이다. 자기가 잘 크고 있다는 것을...

아이와 나누는 대화는 늘 유익하다. 그래서 난 늘 많은 대화를 하려고 노력했다. 아침 식탁에서는 신문으로 하루를 시작했고, 저녁 침대에서 책 읽으며 잠들었다. 그뿐만 아니라 욕실에선 샤워하며 장난치듯 노래했고, 어린이집에서 픽업하고 돌아오는 길에는 연애하듯 속삭였다. 이런 우리의 대화는 3년 전 나의 회사 은퇴를 기점으로 더욱 폭발한다.

며칠 전 잠자리에서 '1만 시간의 법칙'을 이야기한다. 사실 '부케(즐거운 것에 나름의 전문성 갖기)'에 대한 이야기를 해주고 싶었다. 아들에게 1만 시간에 대해 아는지 물어보니. 도요타 광고에서, 렉서스는 6만 시간 장인들이 차를 만든다고 답한다. 다소 뜬금없지만 투입한 시간이 장인을 만든다는 것은 TV 광고로 대략이나마 알고 있는 듯하다. 이에 아빠는, 글 쓰는 게 재밌고, 작가가 되면 좋을 것 같고, 하루 2시간을 취미 삼아 지속하면 대략 13년이면 1만 시간이 된다고, 1만 시간은 상징적 숫자이니 그의 반 5천 시간이면 준 전문가는 될 수도 있지 않겠냐고 말한다. 그래서 천천히 재미 삼아 한번 해볼까 싶다고 이야기하며, 이런 말을 건 건넨다.

"본케와 부케가 조화를 이루면 세상이 좀 만만하다. 부케는 삶이 고단할 때 숨 쉴 공간이 되어준다. 경우에 따라서는 본케 이상의 가치를 만들기도 한다. 또 대게는 이런 부케는 자신이 좋아하는 것으로 시작하는 경우가 많다. 그러니 그것에 빠져있는 시간이 행복하다. 너도 이런 부케 하나쯤 있었으면 좋겠다."

아들이 묻는다. "그런데 아빠의 부케는 뭐야?"

나의 부케는 '주식 투자'였다. 젊은 시절엔 주식이 재밌었다. 매일 책, 신문, 방송, 온라인 카페 등을 공부했다. 손실이 나기도 수익이 나기도 했다. 그렇게 곡절은 있었으나, 그 과정에서 나만의 투자 철학도 갖게 되었다. 20년의 세월이 흐르고 이젠 제법 괜찮은 부케가 되어주었다. 그간의 경험을 말해주었다. 그리고 30대 초반 그동안 모은 모든 재산을 다 잃었던 적이 있었다는 이야기를 해주니, 아들이 대단히 몰입했는지 질문이 쇄도한다. 아빠의 이야기가 흥미로운 듯싶다.

나 역시 아들에게 묻는다 "아들이 20대가 되었을 때, 1만 시간과 결합된 너만의 부케는 무엇이었으면 좋겠냐?" "글세, 나는 아직 딱히 생각해 본 적 없는데" "그래. 아주 지극히 정상이다. 나중에 생기면 말하거라. 아빠가 도와줄 수 있는 거면 도움이 되어주마. 지금 하고 있는 운동도 좋고, 피아노도 좋다. 무엇이든 네가 즐거운 것이면 다 좋지 싶다." 1만 시간에 대한 이야기는 이렇게 끝이 난다.

그리고 다음 날 아침,
전날 아침에 나눈 한국의 저출산 문제와 관련된 대화를

꺼냈다. 신문을 보면 여러 정책들이 쏟아지는데, 한 해 50조 원이 넘는 예산이 투입되지만 효과는 없다. 좋은 방법이 없을까. 왠지 아이에게도 교육적인 시간이 될 듯싶었다.

오늘 아침 신문 기사에 한참 일할 나이에 결혼, 출산... 낙오될까 두렵다...라는 제목의 기사가 있구나. 이걸 보니 아빠는 궁금증이 생긴다. 한참 일할 나이는 누가 정한 기준인지. 오히려 남자든 여자든 누군가 한 명은 한참 아이를 돌봐야 하는 나이가 아닌지. 그리고 낙오될까 두려운 건 또 무슨 감정인지. 낙오되는 게 두려운 게 아니라 그 낙오가 퇴직 등으로 연결되어 결국 소득이 없어지는 상황이 두려운 것이 아닌지. 궁극적으로 사람들이 두려운 것은 '돈-생존'의 먹고사는 문제일 텐데. 바우처를 지급하고, 출산 장려금을 주고, 육아휴직 급여를 높이고... 결국 돈을 주는 방식인데, 이걸 좀 다른 방향으로 전환하면 어떨까. 애초에 들어가는 돈을 줄여주는 방식. 비슷하지만 다른 느낌. 치솟는 집값이 가장 큰 문제일 텐데, 저렴하게 장기 거주가 가능한 임대주택, 30년 이상 거주할 수 있는 조건, 그래서 마음 편하게 살아갈 집이 해결되면, 월급 200-300만 원으로도 충분히 살 수 있지 않을까. 이렇게 되면 좋은 대학에 대한 수요도 자연스럽게 줄고 사교육 열풍도 좀 잠잠해지고. 입시 경쟁에서 벗어날 수 있을 텐데. 청소년들은 성적이 아니라, 자신의 적성과 꿈을 찾아 나서고. 이 사회는 더 다양한 인재를 수용할 수 있는 곳으로 변해갈 텐데. 이런 선순환의 구조 말이야. 아들은 어떻게 생각해? 아침엔 시간 없으니 저녁에 다시 이야기해 보자.

저녁 식탁에 모인 우리는 '저출산'의 '저'자도 꺼내지 않았다. 그저 밥 먹고 다른 이야기하며 즐거웠다. 그날 이후로 이 주제로 대화를 나눈 기억은 없다. 그렇게 사라졌고 잊혔다.

그렇다고 남는 게 없지는 않을 것이다. 아이의 머릿속엔, 어떤 대책 하나 생각해 봤을지도 모른다. 그리고 어이지는 여러 상상들... 나는 맞벌이를 하게 될까. 나는 아이를 몇 명 나을까. 집이 있으면 편안하겠지, 집이 없으면 정말 고생스러울지도 모르겠다. 아빠의 금전적 지원은 있을까. 지난번 물었을 땐 나중에 보자고 했는데. 정말 나중에는 정부에서 집을 줄까. 그리고 또 나의 부케로는 무엇이 좋을지. 1만 시간이 13년이라고.... 이런 생각이 떠오를지도 모른다. 글로 적어 대단히 길고 장황하게 느껴지지만 실제 오고 가는

대화는 5분-10분 남짓이면 충분하다. 간간이 웃음, 추임새
조금 섞어주면 또 재미난 놀이처럼 변한다.

이 짧은 5분의 대화는
어떤 생각 한 번 떠올리게 할 수 있다.
나라면... 어떻게... 그렇다면...

생각은 이렇게 자란다. 스쳐가는 말들도 소중한 이유다.
우리도 이렇게 컸을 것이다.

갓난아기들의 뇌를 보면 활성화되어 있지 않습니다. 이때는 잠을 많이 자면서 몸과 근육이 자라야 하는 시기입니다. 그러다 만 6세쯤 되면 뇌가 매우 활발하게 활동합니다. 그리고 이 뇌의 활동은 14세가량부터 줄어들기 시작합니다. 이때부터 지금까지 터득한 지식을 자기 것으로 소화시키기 시작합니다. 그렇다면 부모가 자녀의 뇌에 가장 많은 자극을 줘야 할 때가 언제일까요? 뇌가 가장 활성화되는 6~13세입니다. 이때 많이 말해 주고, 보여주며, 느끼게 해주어야 합니다.

(조세핀 김 - 아버지 이펙트)

대조 효과

예전에 참 재미나게 읽었던 책이 있다. 설득의 심리학. 얼마 전에 다시 꺼내 읽는데, 재미가 예전만은 못하다. 그래도 기억이 새록새록 떠오르는 '설득의 원리'들이 가득하다. 몇 가지 적어보면 이런 것들이다.

① 부탁을 할 때는 이유를 이야기하라. 그 이유가 온당하지 못해도 상대의 승낙률은 높아진다. ② 위험에 처했을 때 "도와주세요"라고만 외치면 부족하다. "거기 빨간 옷을 입은 안경 쓴 아저씨 도와주세요"라고 외치라고 한다. 그래야 정확히 지목된 그 상대방은 책임감에 못 이겨 실행력이 높아진다. 불특정 다수에서 특정인이 되는 순간이다. ③ 상대방에게 도움을 요청할 때, 예를 들어 금전적 도움을 받고 싶을 때는 먼저 더 큰 금액을 요청해라. 그럼 얻고자 했던

금액은 오히려 부담감이 적게 느껴진다. ③번의 내용은 책의 설명에 따르면 '대조 효과'이다. 뭐 이 밖에도 다양한 설득의 도구들이 가득하다. 이 대조 효과에 대해서는 지난번, 아이에게 여러 가지 예를 들어가며 설명을 좀 해준다. "상대방에게 뭘 얻기 위해서는 말이지...." 오늘 마침 이것을 실천해 볼 재미난 상황이 생겼다. 아들이 게임 타이틀 하나를 사고 싶다는 것. 그런데 지원금을 좀 받고 싶다는 것.

아들과의 대화는 이렇게 시작한다. "아빠, 나 이거 하나 사줄 수 있어", "응?, 너 용돈으로 하나 사, 게임은 네 용돈으로 사는 게 우리 집 원칙이잖아." 그런데 이렇게 말해놓고 또 몹쓸 병이 도진다. 어쩔 수 없는 부모 마음이 불쑥 올라온다. 7-8만 원 하는 걸 아이 용돈으로만 충당하면 좀 미안하다. 그래서 전부는 아니고 일부는 금전적 지원을 해줘야겠다고 생각한다. 2만 원 ㅋㅋ. 그리고 설득의 심리를 이용해 아이와 해볼 만한 재미난 놀이&미션을 실행한다. "카톡 대화를 통해 엄마의 지원금도 이끌어내도록!! 아들, 대조 효과 알지? 아들, 파이팅이다!" 이렇게 이어진 대화는 엄마와의 카톡 대화로 이어진다.

아들 : 엄마, 나 '젤다' 사면 얼마 정도 지원해 줄 수 있어?

엄마 : ㅋㅋㅋㅋ 그건 아들 용돈으로 사는 거 아니야?

아들 : 아빠도 2만 원 지원해 주는데 내가 너무 하고 싶어서...

엄마 : 아빠가 2만 원 지원해 준대?

아들 : ㅇㅇ

엄마 : 그럼 2만 원 + 아들 용돈 해서 사면 되겠네

아들 : 요즘 내가 용돈이 좀 부족해서... 엄마 부담되면 어쩔
　　　수 없지... 혹시 조금이나마 안되려나...

엄마 : ㅋㅋㅋㅋ 아들 용돈이 부족해?

아들 : ㅇㅇ

엄마 : 지갑에 엄청 여유 있을 텐데?

아들 : 그리고 요즘 내가 음식값을 많이 낸 것 같아서. 지갑
　　　이 좀 얇네...

엄마 : ㅋㅋㅋㅋ 그럼 엄마도 2만 원 보태줄게

아들 : 고마워 정말 고마워...

엄마 : ㅋㅋㅋㅋ

엄마 : 귀여워 정말 귀여워...

아빠 : 사람의 마음을 움직이는 기술이 있군!! 아빠도 5천 원
　　　추가 지원한다.

엄마 : (아빠에게) 안 보태줄 수가 없어요 ㅋㅋㅋ

그리하여, 닌텐도 '젤다의 전설'은 아빠 2.5 엄마 2.0 아들 3.0만 원으로 구매를 하게 되었다. 아들이 카톡 메시지에서 쓴 설득의 기술은, 부탁하는 이유를 나름 설명했고, 아빠가 일부 지원한다는 사실을 흘림으로써 엄마의 마음을 살짝 건드렸다.(완벽한 대조 효과는 아니지만, 약간은 비슷하다)

말은 어떻게 하느냐에 따라 분위기 및 상대의 반응에서 차이를 보인다. 말투에도, 어휘에도, 만들어내는 문장에서도.. 상대는 뭔가 당한 것 같지만, 오늘처럼 당한 사람도 기분이 썩 나쁘지 않은 때도 있다. 오늘은 일상의 '게임 아이템 구매'로부터 책 속에 소개된 삶의 요령을 하나 배워본다.

일상의 모든 곳엔 배움이 가득하다. 오늘의 상황이 얼마만큼의 배움으로 아이에게 남았을지는 확신할 수 없다. 그러나 어김없이 오늘도 시도했고, 오늘은 이렇게 마무리했다. "아들, 잘 했다. 하이파이브 한번 하자꾸나!"

수다. 막장 드라마

대화가 곧 공부다.

자녀와 매일 'Real 수다'를 떨어보면 어떨까.

매일 오전에 강변 산책길을 뛰는데, 가끔 대단히 신기한 광경을 목격한다. 매번 두 여자분이 나란히 산책을 즐기는데... 이분들 대화 스킬이 엄청나다. 산책로의 수많은 분들 중 독보적이다. 근 1시간 남짓 대화가 끝이 없다. 어떻게 저렇게 할 수 있을까. 경이롭다. 얼핏 들어보면 특별한 이야기는 아닌데, 볼 때마다 대단하다는 생각이다. 저분들 앞으로 찐 친구가 되겠다. 그리고 이곳에서 맑은 공기 양껏 마시며, 스트레스는 모두 풀어놓고 집으로 가겠구나.

비결이 무엇일까. 나도 아이와 저런 'Real 수다'가 하고 싶다.

아이와 말을 참 많이 하는 편이긴 하다. 그러나 우리의 신문 퀴즈는 배움 가득하지만 자칫 딱딱하고, 자기 진 대화는 부드럽지만 길진 못하고, 일상의 대화는 소재의 한계에 봉착한다. 비판하며, 몰입하고, 상상하고, 예측하며, 의견 개진하고, 빙의 되고, 투덜대기도 하면서. 백화점의 전 층을 오고 가듯 계획되지 않았지만 뭔가 풍성하면서도 어디로 뛸지 모르는, 어디로 튀어도 좋은 것. 그런 느낌.

그런데 유레카! 뭔가 찾았다.
어느 순간 우리는 'Real 수다'를 떨고 있었다. 두 편의 건전한 막장 드라마를 보면서... 요즘 최고의 인기 드라마이다.

① KBS 일일 드라마. 수지맞은 우리. 8시 30분.
② KBS 주말 드라마. 미녀와 순정남. 8시.

지상파		종합편성		케이블	
드라마 ▾		◀ 2024.06.24(월) ~ 2024.06.30(일) ▶		일간	주간
순위	프로그램명			채널	시청률
1	미녀와 순정남			KBS2	17.4%
2	수지맞은 우리			KBS1	12.6%

이 두 드라마는 묘하게 좀 닮았다.

내용은 전혀 다른데, 분위기가 희한하게 오버랩된다. 아무튼 스토리는 기억상실, 알고 보니 가족, 전통 막장극이다. 그러나 온 가족이 모여 TV를 보는 저녁 8시경이다. 내용이 그렇게 자극적이고 않고 또 폭력적이지도 않다. 구수한 면들도 꽤 있다. 첩보물도 공포물도 액션물도 아니고, 우리네 삶에 가까운 내용이다. 그리고 다양한 상황 다양한 캐릭터들이 나오니, 보는 맛이 꽤 있다.

다른 점은 이게 전부가 아니다. 그동안 여러 드라마를 함께 보았는데, 시청 중 아이와 나눈 대화는 보통 이렇다. "아들. 조용히 쉿!! 잘 안 들린다" "알았어 아빠 미안." 대사를 귀 기울여 듣고 싶었고, 그래야 스토리가 정확히 이해됐다. 그래서 몰입이 필요했다. 그런데 웬걸. 이 두 드라마는 몰입하지 않아도 내용이 익숙하다. 미래도 훤히 예측이 된다. 심할 때는 다음 장면도 그려진다. 재미는 있는데 딴짓도 가능하다. 드라마를 보는 동안 얼마든지 대화가 가능한 것이다. 화딱지 나는 설정에 가끔은 몰입도도 올라가며, 짜증 섞인 탄식도 나온다. 이럴 때는 자연스럽게 한마디 터져 나온다. 아무튼 말 많아진다.

아빠 : 아들, 아니 왜 수지는 우리에게 화를 낼까. 그냥 좋게

말하면 되잖아. 어휴. 어휴.

아들 : 그러게 왜 화를 내지. 우리가 잘못한 게 아닌데

아빠 : 그래 아들 너 나중에 다른 건 몰라도 배려심 많은 사람

만나야 된다.

아들 : 응응…ㅋㅋ

아빠 : 아들. 어. 어. 위험해. 수지 횡단보도에 있네.

사고 나겠다. 곧 병원에 가겠는데.

아들 : 아니야… 우리가 뛰어들어서 대신 다치는 거지.

아빠/아들 : 에이 둘 다 틀렸네.ㅋㅋ

아들 : 아빠. 아이스 아메리카노 저 노래 대박 터지는 거

아니야. 왠지 그럴 것 같아

아빠 : 분위기가 딱 그렇다. 이런 드라마는 그럴 것 같으면

그렇게 된다.

아들 : 뭐래. 뭐래. 으윽. 왜 저래. 공원에서 왜 둘이

춤을 추는 거야. 창피해.

아빠 : 아들 너 왜, 저 여자 배우 말투를 따라 하냐.

저 둘은 연애 초기야. 둘이 있음 얼마나 좋겠냐.

부끄러운 것도 잘 안 보인다. 아들도 나중에 그럴 거다.

아빠 : 너 근데 여자친구는 언제 데리고 올 거냐?

아들 : 없는데. 아빠 나 오늘 하교할 때 고등학생 형 누나
　　　둘이 손잡고 가는 거 봤어 ㅋㅋ 사귀나 봐 ㅋㅋ

아빠 : 아들. 백미자대표 또 사고 치는 거 아니냐. 이렇게
　　　화목하다니. 뭔가 좀 이상하잖아

아들 : 그렇겠지. 안 그러면 드라마가 재미없지.

아빠 : 그렇지. 어! 그러네 나이트 출연 계약하면 안 되는데.

아들 : 그렇다니까. 그럴 것 같았어.

아빠 : 근데 아들, 네가 박도라라면 엄마 모습이 기억에
　　　없는데, 자기가 엄마라고 말하는 사람을 말만 믿고
　　　저렇게 쉽게 따라나설 수 있겠냐?

아들 : 엄마라고 하니까... 가지 않을까... 잘 모르겠어.

아빠 : 아들. 감독님 엄마 마음이 어떨까?

아들 : 그러게. 아니! 공마리 엄마는 왜 또 집에 찾아오는데.
　　　어휴. 어휴.

아들 : 아빠. 내일은 어떻게 될까? 내 생각엔 말이지....

이로써 부러움 가득했던 산책길의 두 여자분. 그녀들의 수다. 우리도 그 비슷한 걸 갖게 되었다. 1시간 넘게 끊임없이 이어지는, 쉼 없는 그 대화 말이다. 준비하지 않아도 술술 입 밖으로 흘러나오는 대화. 물 흐르듯 흐르는 대화. 찰떡같이 감기는 대화.

아들과의 대화는 늘 즐겁고 유익하고 정겹다. 그리고 더 가까운 우리가 되는 듯싶다. 좀 오버했다.

'아버지 이펙트(조세핀 김)'라는 책에 아이와의 대화에 어려움을 겪는 아빠가 등장한다. "아이들과 어떻게 대화해야 할지 모르겠어요. 뭔가 물어봐도 무뚝뚝하게 대답해서 대화를 이어 가기가 어려워요"라고 하소연한단다.

나는 추천한다. "저기요. 아버님…. 드라마. 나름 건전한 막장 드라마를 함께 보세요!!"

막장 드라마를 보며 떠는 수다. 스트레스만 풀리는 것이 아니다. 관계만 좋아지는 것 역시 아니다. 모든 부모들이 원하는 효과가 숨어있다. 몇 가지 인용구를 덧붙인다.

(초등 아이) 지금은 대화를 나누고 책 읽어 주기에 집중해야 합니다. 부모와의 소통을 통해 아이의 듣기, 말하기, 어휘력을 향상시킬 때입니다. 사실 이것이 이 시기의 진짜 중요한 과제입니다. 공부 기본기인 문해력은 이를 통해 만들어지기 때문입니다. 아이와 수다를 떠세요. (김진선 - 서울대 의대 엄마는 이렇게 공부시킵니다.)

2002년 우리나라에서도 아이들의 학업성취도에 관한 놀라운 연구 결과가 발표됐다. 일제고사라고 불리는 전국 단위 학업성취도 평가에서 높은 점수를 받은 학생들의 공통점이 무엇인지 분석한 연구였다. 학부모들의 예상과 달리 사교육 시간이나 공부습관은 학업성취도와 아무런 상관관계가 없었던 반면, 부모와의 대화 시간만이 학업성취도와 뚜렷한 상관관계가 있는 것으로 나타났다. (SBS스페셜 제작팀 - 부모 vs 학부모)

제 4장

모범

누군가를 가르치는 가장 좋은 방법은

지시형의 '해라'가 아니라

청유의 '하자' 또는 완료형의 '했다'가 좋겠다.

우리도 그런 상사를 좋아하지 않던가.

책 보는 아버지의 뒷모습. 이것은 유산이다.

나는 나에게 바라는 모습이 있다.

한둘이 아니다. 여럿 있다. 아이와 관련된 것 중에 하나는 '나의 책 보는 모습'을 자연스럽게 전해주고자 한다. "우리 아빠는 책을 좋아하는 사람이구나. 저게 재밌을까. 나도 한번 해볼까."라는 실천적 생각까지 이어지면 좋겠다.

이렇게 생각하는 이유가 있다. 나에게 책은 훌륭한 취미이다. 물론 이것이 끝이 아니다. 난 책으로 약속, 성실, 친구, 가치관, 더 큰 생각, 더 좋은 기회, 삶의 이유 등 많은 것을 얻었다. 또한 이것은 여전히 현재 진행형이다. 그러니 이 책 보는 모습을 아이가 보고 배우면 참 좋지 않을까 늘 생각한다.

최근 새로운 표현을 발견한다. 책, 독서, 유산에 대한 글이다.

돌도끼 들고 멧돼지 쫓아다니며 진화사를 다 보낸 인간에게 엉덩이 딱 붙이고 책에 코 박는 그 자세가 곤혹이란 건 안다.

아들이 태어났을 때 "아이에게 물려줄 수 있는 최고의 유산은 책 보는 아버지의 뒷모습"이라는 조언을 받았다. 그런 아버지를 보면서 그 '곤혹스러운 자세'가 바람직한 세계라고 생각할 수만 있다면 이보다 더 큰 유산이 또 있을까?

뭘 해줘도 부족한 게 부모 마음이지만 뒷모습을 보여주기엔 아이가 다 커버려 아쉬움이 크다. 그런데 이 유산, 나중에 태어날 손주에게도 유효한 걸까?

비즈니스 인사이트의 전영민 대표가 한국경제신문에 기고한 글이다. 책 보는 아버지의 뒷모습이 유산이 될 수 있다니. 돈 하나 들지 않고, 그저 앉아서 책 보면 된다. 이렇게 쉬운 것이 유산이라니... 좋은 건 실천해야 제맛이다. 내친김에 나의 꿈을 확장한다. 책이 유산으로 확장된다. 유산, 죽어서도 살아 움직이는 '숨결' 같은 것이 아닌가. 갑자기 뭔가 또 뜨거워진다.

107

나는 늘 새벽 5시에 일어나 작은방 책상에 앉아 신문을 읽는다. 날이 밝아오고 7시가 조금 넘으면 방문이 살짝 열린다. 그리고 "워!" 하고 소리를 지른다. 아들의 유치하지만 귀여운 장난이다. 흔한 일은 아니다. 보통은 깨워야 일어나는 게 일반적이다. 아무튼 이렇게 문을 열고 들어온 아들의 머리를 쓰다듬어주고, 잘 잤냐고 묻는다. 이때 아들이 묻는 말이 있다.

아들 : 아빠는 책이 재밌어?

아빠 : 전에도 말했지만 책 속에는 꿈과 희망이 있잖아.
　　　그러니 당연히 재밌지. 너도 곧 알게 될 거야.

아들 : 그래? 그런가...

물론 이런 대화가 아이를 즉각적으로 변화시키는 것은 아니다. 사실 조금 기대했으나 그렇게 아이가 쉽게 변하지 않는다는 걸 이젠 잘 알고 있다. 11년을 함께 살았으니.

그러나 어떤 생각과 질문은 떠오를 것이다. "책이 정말 재밌나. 아빠는 정말 책이 재밌을까. 나도 나중에 크면 아빠처럼 책을 보게 될까. 사실 나도 책이 싫은 것은 아닌데, 독서록이 싫은 것이다. 그리고 게임이 좋은 것뿐이다. 정말 아빠 말대로 책엔 꿈과 희망이 있을까?" 이런 의심의 시간이 흘러 스스로의 시도와 검증을 거치면, 아들은 언젠가 알게 될 것이다. 다만 나의 역할은 그때까지 아이를 궁금하게 만드는 것, 약간의 모범이 되는 것, 그저 내 좋아하는 것 꾸준히 하는 것이다. 책 읽는 뒷모습이 유산이라... 안 할 수 없는 노릇이다.

정확히 기억나진 않지만 어떤 교육 관련 유튜브 영상에서 이런 댓글을 보았다.

> 저는 부모님께 감사한 게 시험 기간이든 독서를 하든 제가 할 시간에 항상 같이 해주셨어요. 오히려 부모님이 모르는 부분을 저한테 묻기도 하셨고, 저도 모르는 부분 있으면 물어보고 함께했던 기억이 너무 커서, 공부할 때 어려움이 있어도 어쨌든 내가 해결할 수 있는 부분이라고 믿었고, 실패한다 해도 부모님은 한결같이 대해 주시니까 불안했던 게 약하게 왔다간 거 같아요.

독서하는 아버지의 뒷모습. 이건 어느 정도 된 것 같은데, 나중에 혹시나 아들이 공부를 하겠다고 덤벼들면, 그땐 늦은 시간까지 함께 공부도 좀 해줄까. 이건 유산은 아닌 듯한데, 책상 위에서 공부와 싸우며 피어나는 전우애 정도 될까.

부모님 초대

부모에 대한 감사하는 마음.

이런 마음을 키워주고 싶은데, 이런 건 어떻게 키울 수 있을까. 매일같이 잔소리를 하면 될까, "아들, 감사한 줄 알아야 한다." "아들, 네가 지금 누리는 것이 당연한 게 아니야." 뭐 이런 말들로 가르칠 수 있는 건 아닐 텐데. 책을 좀 찾아볼까. 집 근처 도서관에 방문한다. 성적, 입시, 공부 잘하는 방법과 관련된 책은 많은데, 인성이 좋고 부모에 대한 감사함을 배우는 책은 잘 보이지 않는다. 그러던 차에 문득 좋은 문장 하나가 떠오른다.

어린이와 청소년에 미치는 영향의 90%는 부모에게서 오고, 나머지 모든 영향을 합한 것이 10%이다.

(교육학자 테일러 박사)

내가 잘 하면 아이는 잘 한다. 익히 알고 있으며 실감하는 말인데 또 잠시 잊고 있었다.

아이가 뭔가 잘하길, 어떤 모습이길 바라면,
먼저 솔선수범하는 내가 되자고 그토록 다짐했는데,
또 엉뚱한 곳에서 답을 찾고 있었다.

아이가 10살이 되면서, 자기만의 방을 갖고 싶어 했다. 자신의 혼자만의 공간, 내 것, 그만큼의 자유, 뭐 이런 느낌의 것들을 갖고 싶었던 것 같다. "아들, 너 또 이렇게 컸구나. 며칠만 기다려라. 네 방 예쁘게 만들어주마." 대략 열흘간의 고생 끝에 아이의 방이 완성됐다. 이게 뭐라고 완성되는 순간, 우리 세 식구 모두가 감격스럽다. 이 감격스러운 순간을 어딘가 공유할 곳이 없을까. 말해 뭐 할까. 손주라면 이유 없이, 조건 없이 행복해하시는 할머니 할아버지가 계시지 않던가.

옳거니, 부모님을 초대하자. 올 것이 왔다.
부모님께 감사한 마음을 표현하고, 또 배울 수 있는 좋은 기회가 아닌가. 그래 솔선수범. 이걸 하자. 부모님을 집으로 초대하는 건 오랜만의 일이다. 소소한 즐거움과 약간의 감동스러운 마음을 전해드리고 싶었다. 이럴 땐 머리를 좀 굴린다. 난 왕년에 회사의 기획쟁이가 아니었던가.

① **피아노 공연 영상과 환영 멘트를 전송한다.** 방문 며칠 전부터 즐거우실 수 있도록, 오시는 발걸음도 가볍도록. ② **아이가 그동안 모아둔 용돈으로 선물하자.** 아이 기분도 좋지만 받으시는 할머니 할아버지 기분도 좋다. 무엇이 좋을까. 그래 빵집에서 화과자를 사드리자. 집에 오셨다가 떠나실 때 선물로 드리자. ③ **작은 꽃 & 카드를 선물하자.** 화사한 느낌과 마음을 담은 카드를 함께 드리자. 아마도 오랜만에 받으시는 꽃다발이지 싶다. ④ **식사 장소를 사전에 논의한다.** 할머니, 할아버지 연령대를 고려해 맛집 선택. 분위기, 맛, 가격 등을 종합적으로 고려한다. 아이와 상의하며 식당을 선정하는 것은 또 다른 재미다. "아빠, 여긴 분위기는 좋은데, 연세가 있으셔서 치아에 안 좋지 않을까." "아빠, 여긴 너무 저렴해서 대접하는 분위기가 좀…" 대화하며 상대를 떠올리며, 나름 공부된다. ⑤ **피아노 공연이 필요한 시점이다.** 그동안 영상으로만 공유드렸던, 연주 실력을 직접 보여드릴 기회다.

아마도 앙코르 요청이 있을 것이다. 몇 곡 준비하자. ⑥ **메인이벤트 '마이 룸'을 소개하자.** 할머니의 찬조금이 어떤 물건이 되었는지 소개하자. 그리고 감사하자. ⑦ **기념사진을 찍는다.** 오늘을 추억하며. 그리고 이 사진은 다음에 액자에 넣어 가져다드리자. 핸드폰에만 사진이 있는 요즘, 귀한 선물이 될 것이다.

우리의 계획대로 부모님의 얼굴에 흐뭇한 미소가 가득하다. 약간의 감동도 엿볼 수 있었다. 선물(이벤트)은 받은 사람도 좋지만, 그것을 준비하는 사람도 좋다. 아이는 무엇을 느꼈을까. 일단 재밌었겠다. 기분 좋았겠다.

다른 감정은 없을까. 혹시 누군가를 기쁘게 하는 연습이 되지는 않았을까. 혹시 머리를 맞대 생각하면 더 좋은 결론에 도달한다는 것을 알지 않았을까. 무언가를 베풀면 기분이 더 좋아진다는 것을 느끼지는 않았을까. 그리고 어쩌면 우리 아빠가 부모님을 대하는 마음을 넌지시 배우지는 않았을까.

평소에 잘 해야지, 이벤트 한 번으로 그런 배움이 채워지진 않을 것이다. 그러나 아이의 마음에 무언가 조금은 담겼기를 바란다. 이렇게 부모님 초대는 기쁨이 되고, 훌륭한 공부가 되어주었다. 아랫물은 윗물이 맑아야 맑다고 했다. 늘 내가 더 잘 하면 된다.

두 분에게 드린 꽃 다발, 이날 행운도 함께 드렸었구나.

너에게 주고 싶은 수식어. '_____' 부자.

부자. 돈. 그거 좋겠다.

이왕 사는 인생, 어차피 한 번 사는 인생, 그리고 이 세상 자본주의 세상이 아니던가. 대부분이 그렇듯 나도 내 아들이 나름 부자이길 바란다(물론 건강이 최고다). 그런데 나에게 물려줄 큰돈은 없고, "그냥 너 알아서 해결해. 정신 차려!! 인생은 어차피 홀로 살아가는 거다!! 남자답게 응!!" 매우 강하게 몰아세우기는 좀 그런데. 어쩐다… 굼벵이에게도 있는 구르는 재주. 나에게 있는 구르는 재주가 뭐지?

그래 어릴 때부터 '경제교육(주식투자)' 시켜주자. 이 교육 잘 시키면, 그래서 바른 투자관을 가질 수 있다면, 제법 괜찮겠다. "아들. 잘 따라와라 부자 되는 거 쉽다. 걱정 마라." 강렬한 눈빛과 자신에 찬 말투로 일단 관심을 유발했다.

그런데 단순히 돈 많은 부자가 아빠로서 원하는 '아들 상'은 아닌데, 어떤 수식어 하나 정도는 꼭 붙여주고 싶다. 힘 있지만 힘없어 보이며, 가졌지만 가지지 않아 보이는, 무심한듯하지만 필요할 땐 그것을 할 수 있는 모습. 뭐 대략 이런 종류의 느낌. 그래 '검소한, 돈 귀한 줄 아는'이라는 수식어가 좋겠다.

아들아, 부자 좋다. 부자가 되어라.
다만 검소하고 돈 귀한 줄 아는 부자면 더 좋겠구나.

'검소하고 돈 귀한 줄 아는' 수식어, 어떻게 붙여준다.
이것을 알게 하는 과정 험난하다. ① 원스텝(지시형) – 일단 검소하라고 외쳤다. 효과 없다. ② 투스텝(모범형) – 아끼며 사는 것이 아주 익숙한 내가 몇 가지 지침을 내렸다. 꺼진 전등불도 다시 보고, 불필요한 콘센트는 반드시, 음식은 남기지 말고 다 먹고… 역시 효과 없다. 90년대면 좀 통했을 듯싶다. ③ 쓰리스텝(극한 모범형) – 웬만해선, 절대로 나를 위한 소비는 제로로 세팅한다. 오래 신고 입고 쓴다. 아빠 극한에 다가선 검소함에 본받겠지? 아들이 한 마디 한다.

"아빠. 좀 쓰면서 살아. 편하고 좋은 거 조금은…" 그래 이 말도 틀린 말은 아니다. 이것도 효과 없다. 그래서 최근에 또 뭐 하나를 실천 중이다. 이거 내 마음에는 아주 꼭 드는데 어떨까. ④ 포스텝(도서관 무료 Program) - 함께 즐기며 배우자. 우리 주변엔 즐길 수 있는 고퀄리티의 무료 행사가 참 많았다. 왜 이제야 이걸 알았을까. 화가 날 지경이다.

'고품질 무료 Program. 그래 도서관. 이곳이 천국이구나.' 지역 도서관에는 양질의 프로그램이 넘친다. 연극, 뮤지컬, 음악회 등 관람할 수 있는 것들이 많다. 직접 배울 수 있는 참여형 행사도 많다. 눈길을 잘 주지 않아 몰랐는데, 이거 정말 대박이다. '도서관 소식지'를 하나 들고 집으로 온다. 이름, 일자, 대상, 콘셉트 등을 체크하고, 아이가 또는 아이와 함께 하기에 적당한 것을 몇 가지 간추린다. 전화가 필요한 곳은 전화로, 인터넷 예약은 사이트에 예약한다. 그리하여 따낸 것들이 ① 국악 뮤지컬 ② 어린이 진로 체험 ③ 코딩으로 마음 표현(마이크로비트, LED) 이렇게 3가지다. 간발의 차로 놓친 것이 연극 관람이다. 그러나 아쉬워하긴 이르다. 매달 새로운 것들이 넘쳐나니 말이다. 국악은 함께 관람, 진로 체험은 아이가 홀로 참여, 코딩은 부모와 한 팀으로 참여하는 콘셉트다. 골고루 잘 걸렸다. 이 중에 국악 뮤지컬(주제: 쓰레기를 줄여 지구환경을 보호하자)은 이미 다녀왔다. 이 공연 재밌다. 보는 내내 웃었고 배우들과 함께 호흡했다. 아이는 난생처음으로 배우와 손가락 걸고 약속했다. "저 앞으로 쓰레기를 버리지 않을게요." 내성적인 아이는 지금 부끄럽다. 연극 끝나고 돌아오는 길 차 안에서 아이가 말한다. "아빠, 무대가 좀 허름해서 처음엔 기대 안 했는데, 재밌다. 다음에 또 보자. 고마워." 그리고 집에 오는 길에서도, 그날 이후 며칠 동안 집에서도 함께 노래를 불렀다. 이 공연의 주제가이다. 국악 느낌을 살려 성대를 제법 꺾으며 불렀다. "쓰레기는 흘러 흘러 어디로 가는 걸까. 쓰으레기는 어디로 가아느은걸까" 이 타이밍 놓치긴 아쉽다. 몇 마디 건넨다.

세상은 보는 만큼 보인다.

가치 있는 것들이 넘쳐나는데, 관심이 없어 그냥 흘러간다.

아빠도 많이 놓치고 살았다. 반성한다.

이제는 이런 걸 좀 잡으려 한다.

이런 걸 잡으면 뿌듯하다. 그냥 아빠는 그렇다.

조금 검소했고, 조금 성실했고, 조금 현명했고,

또 조금은 세상을 이겼다는 생각에 뿌듯함이 든다.

안일했던 나를 조금 이긴 것 같다.

아빠도 이렇게 또 크나 보다.

가끔 돈이 없어 자식을 가르치지 못한 게 한이라는

옛 어른들의 말이 들린다. 예전엔 맞았지만 지금은 틀리다.

일단 함께하자.

감소한 마음일지 돈 귀한 줄 아는 마음일지

너에게 무엇이 들어 설지는 모르지만 함께하자

그리고 너도 이게 괜찮으면, 나중에 해보거라.

못지않다. 좋더라. 추천한다.

검소한. 돈 귀한 줄 아는. 부자.

이렇게 도서관 Program 찾아다니면 '부자' 앞에 달린 저 수식어는 정말 아이에게 달라붙을까. 에이 이렇게 쉬울 리가 없다. 그러나 내 머릿속에 부모님의 검소함이 선명하게 남아있듯, 훗날 11살 아이에게도 오늘의 모습이 어떤 기억으로 남을 것이다.

도서관 무료 Program에는

공연, 강의, 체험, 복지 같은 것만 있지 않다. 모든 세상의 존재하는 것들이 그렇듯, 이곳에도 배우고자 한다면 그것이 무엇이든 우린 배울 수 있다. 누군가는 가족애, 누군가는 감동, 누군가는 연인 간의 사랑, 누군가는 나처럼 자녀와 함께 부자에게 필요한 마인드를 배울 수도 있다.

보는 만큼 보인다.

그러니 탐험하듯 살고자 한다. 아무튼 다음 주엔 코딩으로 마음을 표현하러 간다. 다른 것 다 떠나서 재밌으면 그만이다.

책을 쓰고 있는 지금도 신규 Program이 쏟아진다. 그냥 지나칠 수 없는 노릇이다. 그래서 두 개를 더 예약했다. 가치가 넘쳐난다. 검소하게 놀다 보면 검소한 사람일지도.

① Canva를 활용한 '내 꿈 지도' 만들기
② 연극 속에서 피어난 평화 (연극을 배우고 연극을 해보고)

우리가 만든 어설픈 액자

나는 가끔 직접 요리를 한다. 자주 하지 않는 이유는 더 잘하는 사람이 잘하는 것을 하는 것이 가정에서도 효율적이다는 생각 때문이다. 조금 냉정하지만 현실이다. 아무튼 특별한 기념일 정도가 내가 요리하는 날이다. 그렇다고 대단한 음식을 하는 것은 아니다.

그런데 이것은 꽤 의미 있다. 분위기도 좋아지고, 웃음도 조금 담긴다. 아마도 어설픈 맛, 어울리지 않는 조합들, 못난 비주얼. 그러나 거기에 담긴 가상한 노력이 더해져 웃음이 되고 행복이 된다. 그래서 내 요리의 핵심 포인트는 어설픔이다. 고수하려고 한다. 지금은 이대로가 좋다.

이런 어설픈 노력, 요리 말고 다른 것 없을까. 아이와 함께

하면 참 좋을 것 같은데, 괜찮은 교육도 되고 말이다. 맞다 그렇지, 얼마 전 할머니, 할아버지가 집에 오셨을 때 가족사진을 찍었다. 그리고 댁으로 돌아가실 때 한 마디 던졌었지. "다음에 댁에 놀러 갈 때 액자에 담아서 드릴게요." 그래 이게 좋겠다. 액자를 만들어서 드리자. 어설프면 어떨까.

어설픈 액자 만들기 (준비물) :

칼, 가위, 테이프, 사진, 그리고 핵심은 곧 버려질 상자.

아이와 함께 잘 찍힌 사진을 고른다. 의견 대립도 있었다. "할머니, 할아버지 잘 나온 사진을 골라야지. 아들" "에이 아빠, 아니지 할머니 할아버지는 나를 귀여워하시잖아. 그러니까 내가 잘 나온 이 사진이 더 좋지" "그런가?" 나름 일리 있는 생각이다. 아무튼 아이의 생각을 반영해 사진을 고른다. 그다음 우린 액자를 만들었다. 며칠 있으면 버려질 종이 박스를 가져와 재단한다. 먼저 프레임을 만들고, 세울 수 있도록 액자 뒤편에 거치용 막대를 제작했다. 의심 가득한 말이 날아든다. "아빠, 이거 잘 될까. 하나 사는 게 낫지 않아.

이럴 때는 따뜻하지만 단호하게 한마디 건넨다.

아들, 조금 있어봐라. 다 만들고 보면 제법 괜찮다.
직접 만든 선물엔 주는 사람의 마음이 더 담긴다.
그리고 그게 어설프면 오히려 마음이 더 잘 보인다.
그럴 때 우린 더 흐뭇하고 감동한다.

자르고, 붙이고, 세우고... 다시 떼었다 붙이고. 결국 우리의 액자는 완성되었다. 아들이 다시 한 마디 한다. 물론 말의 분위기는 사뭇 달라졌다. "아빠, 다 만들고 보니까 진짜 괜찮다. 할머니, 할아버지 좋아하시겠다."

며칠 뒤 완성된 액자를 본가에 가져가 선물한다. 액자 전달은 아이의 두 손으로... "할머니 우리가 직접 만든 액자에요. 지난번에 저희 집에 오셨을 때 찍은 사진으로 만들었어요." "어머나 세상에 이걸 직접 만들었다고. 우리 손주 예쁘다. 가만있어 봐... 할머니가 용돈 좀 줘야지..."

대단히 오랜만에 무엇을 직접 만들었다. 아이가 더 어릴 적엔 이것저것 참 많이도 만들며 놀았는데, 게임 덕분인지 게임

때문인지 점점 이런 놀이는 드물다. 그런데 이번 만들기는 예전 것과 다르다. 이것은 단순 만들기 놀이를 넘어 사랑하는 사람에게 전하는 마음이 담긴 선물이었다.

또한 이것은 할머니 할아버지 선물만이 아니다. 사무실 책상 위에 이런 액자 하나쯤 놓아두면 근사하다. 누가 물어오면 무심한 듯 "응 이거, 아이가 아빠랑(엄마랑) 만들어 준거야." 이렇게 말하면 왠지 뿌듯하다. 당신이 만약 조금 감성적인 사람이라면 갑자기 눈물 와락 쏟을지 모른다.

어설픈 것이 좋을 때가 있다. 보통 그럴 때는 그 물건에 진심, 정성,
고생 등이 담겨 있는 경우이다. 우리도 액자에 이런 것들을 담았다.

독서 삼독, 아빠의 공부

독서 삼독.

책은 세 가지를 읽어야 한다. 먼저 텍스트 자체를 읽고, 그다음은 글을 쓴 작가를 읽어야 한다. 그리고 마지막으로 그 글을 읽고 있는 자신을 읽어야 한다. 그래서 독서는 삼독이라고 한다. '감옥으로부터의 사색'으로 유명한 신영복 선생의 말이다.

난 이 말을 좋아한다. 세 가지를 읽다니, 책 한 권으로 나의 삶도 읽을 수 있다니 매력적이다. 난 10여 년 전부터 책을 삼독하고 있다. 작가를 읽을 땐 대화하는 즐거움이 생기고, 나를 읽는 마지막엔 아이디어, 가치관, 변화, 실천 등이 생긴다. 이런 책 읽기는 아이에게 모범이, 선한 영향력이 될 수 있을까. 아이 교육에 대한 깨달음 하나 얻었던 경험을 기록한다. '부모 vs 학부모'라는 제목의 책이다. '아이를 키우며 끝없이 불안에 시달리는 당신 부모입니까? 학부모입니다?' '부모의 욕망과 불안을 자녀 사랑이라고 착각하는 순간, 내 아이의 미래와 희망은 사라진다.' 책은 대략 이런 내용이다.

내용 괜찮겠는데, 그럼 삼독하자!!

책 속 문장

(서울대 경영학부 신입생에게) 주목할 것은 성적 변화 패턴이 향상형이거나 슬럼프 극복형인 학생의 경우, 부모가 권위적이거나 거부적이라고 대답한 학생이 훨씬 적었다는 점이다. 하루 일과 중 부모님과 대화하는 데 평균 1시간 정도를 사용한 것으로 나타났는데, 이런 대화 시간이 부모를 애정적이고 민주적으로 인식하게 했을 것이라는 게 연구팀의 분석이었다. (…) 자기 주도성이 높은 학생과 상대적으로 자기 주도성이 낮은 학생들 사이에 뚜렷한 차이가 나타났다. 자기 주도성이 높은 학생들의 경우 부모가 칭찬과 격려를 많이 해주고 이야기를 잘 경청해 주었던 반면, 자기 주도성이 낮은 학생들은 부모가 자녀의 기분을 맞추어주려는 경향이 더 높게 나타난 것이다.

작가 읽기

서울대 신입생들(나름 공부에서 성공한)의 설문 분석을
통해서 작가는, 자기주도적 성향을 보이는 학생들은 부모와의
대화가 절대적인 영향을 미치고, 그 대화의 내용은 부모가
아이의 비위를 맞춰주는 것이 아니라, 신뢰를 기반으로 한
칭찬과 격려가 중요하다고 말한다. 작가는 우수한 학생들,
그중에서도 주도적인 성향을 보인 학생들의 공통점을 통해
부모와 자녀 간 만들어가야 할 방향을 제시하고 있다.

독자(나) 읽기

나는 초등학생 아이를 키운다. 문제집을 푸는 공부보다는
일상생활 대화를 통한 자연스럽게 다양한 생각(공부)을 해
나가기를 바란다. 이런 교육방식을 계속할 수 있을지 장담할
수는 없겠지만, 지속하고 싶다. 이 책에서 나의 자녀교육
철학에 힘이 되는 문장들을 만난다. '자기 주도성은 부모의
믿음과, 그 믿음이 담긴 편안한 대화에서 출발한다'는 것이다.

정말 그럴까. 믿음이 대화가 자기 주도성을 만들까.
나의 직장 생활로 가보자. 회사에서도 마찬가지로 자기
주도적인 친구들을 필요로 한다. 보통 이런 친구들은 스스로

문제를 해결하며, 속도 면에서도 늘 한발 앞서 나아간다. 생각이 앞서니 타인의 생각으로부터 자유롭다. 직장에서 생각의 자유, 운신의 폭이 얼마나 소중한 것인지는 직장인이라면 모두 알고 있다. 또한 그들은 평가 역시 좋다.

그런데 이런 믿음직한 친구가 하늘에서 갑자기 떨어지지 않는다. 어느 날 갑자기 주도적인 사원으로 변화하지 않는다. 그것은 오랜 신뢰의 시간과 상호작용 필요하다. 상사의 지지와 믿음, 그 믿음이 깔린 대화, 그리고 수년간의 성공체험 등이 이런 인재를 만든다. 결국 자기주도적 성향은 학교, 직장 등 삶의 많은 영역에서 필요한 덕목이다. 그런데 이 자기 주도성은 어떻게 만들 수 있을까. 책에서도 말했지만, 우리는 그 답을 이미 알고 있다. 응용에 어려움이 있을 뿐이다.

부모와의 1시간 대화
이 대화가 부모를 애정적이며, 민주적이라 인식한다.
이런 가정의 부모는 '칭찬과 격려'의 대화로 아이를
마주한다.

그렇구나, 자기주도적 아이의 핵심은

가정에서의 칭찬과 격려, 믿음이 담긴 소통이며 연습이다.

사실, 인생 돌이켜보면 별거 있었던가.

그저 나를 믿어주는 한 사람,

그 믿음에 감사하며 부응하고자 했던 성실한 마음.

우린 그럴 때 앞으로 달리고 또 달릴 수 있었다.

그러니 아빠는 너를, 더 믿고자 한다.

부모 vs 학부모

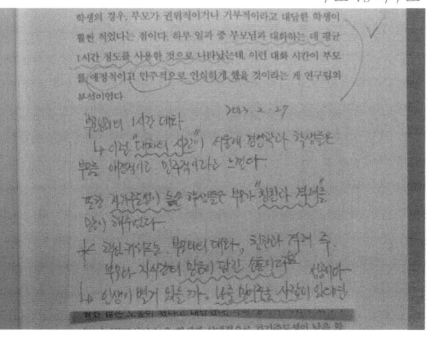

제 5장

성장

어른들은 왜 자식의 공부, 성공에 그토록 집착할까.

각자의 인생인데 말이야.

어느 날 아이가 내게 던진 의문 가득한 질문이다.

늘 곁에서 보고 있어서 잘 몰랐다.

아이는 오늘도 본인의 최선을 다해 커가고 있었다.

아들, 너 참 많이 컸구나

가끔 아이를 키우다 보면 놀랄 때가 있다. 침대 위에 누워서 책 보는 아이의 쭉 뻗은 다리를 볼 때, 배가 부르기도 전에 피자 한 판이 눈 깜짝할 사이에 사라질 때, 이젠 충분히 1인분 하는구나 싶다. 많이 컸음을 실감하는 때이다. 보통 이런 때는 '육체적 성장'을 느끼는 경우다. 놀랍긴 한데, "많이 컸구나, 세월 참 빠르다."라는 멘트와 함께 이네 차분해진다.

이에 반해 '생각이 참 컸구나'라는 느낌은 대게 대화를 통해 인지한다. "아빠, 아이들의 꿈은 왜 다 비슷할까. 세상은 운이 더 중요해 아니면 실력이 더 중요해. 아빠, 나는 대기업 면접 경험이 없으니까, 나중에 크면 그땐 아빠가 좀 도와줄 수 있지?" 등을 물어올 때이다. 이런 질문들 뜬금없지만 왠지 잘 커가는 듯싶어 언제나 반갑다. 그런데 이 질문들은 워밍업에

불과하다. 사실 내가 놀란 질문, 정말 많이 컸구나 생각이
드는 질문은 다른 것이다.

"아빠, 왜 부모들은 아이들의 성공에
그렇게 관심(집착)이 많을까.
아이가 공부를 잘하면 그건 아이 것인데.
어차피 각자 인생을 사는 것인데 말이야..."

이 말 꽤나 충격이다. 아이에 대한 나의 인식은 틀렸다. 이
11살 아이는 놀랍도록 성장하고 있었다. 아이가 말하고자
하는 것은, "아이는 아이의 인생이 있고, 부모는 부모의
인생이 있는데. 왜 부모는 그토록 아이들의 성공, 공부에 목을
맬까. 각자의 인생이고 각자의 삶은 스스로 노력하고 만들어
가는 것인데." 대략 이런 뜻으로 한 말이라 여겨진다.

이런 생각, 어디서 시작됐을까.
아마도 이날 아침 욕실에서 출발했겠다. 명절 재밌게
보냈는지, Game Day는 어땠는지, 용돈 많이 받아서 기분
좋았는지, 엄마 아빠는 아들 공부하라 크게 잔소리 안 하는데

어땠는지... 이것저것 묻고 답하다가 아들이 잔소리라는 표현에서 반론을 제기했다. "아빠, 하루 30분이라도 하라고 해서 하면 잔소리야", "틀린 말은 아니지만, 게임 3시간과 공부 30분을 생각하면 잔소리는 아니지 않을까. 하루 30분의 공부는 글쎄 최소한의 예의 같은데"라고 말한다. 그러면서 초등생 아이들 중에는 '의대 준비반'이라는 곳에 들어가 저녁 늦은 시간까지 방학도 없이 공부하는 아이들도 있다는 걸 알려준다. 또한 어떤 부모는 아이의 공부에 자신의 인생을 올인하는 경우도 있다고... 그에 비하면 뭐 지금 우리의 상황은 가볍다. 이런 대화의 끝에 아들이 건넨 말이 저 위에 '아이에 대한 부모의 집착, 인생은 각자의 것'이라는 가치관 물씬 풍기는 말이었다.

나는 의미 부여, 확대 해석을 좋아하는 아빠이니 아들의 이런 생각은 미래의 어떤 가치관을 만들지 상상한다. ① **공부는 그 누구도 아닌 자신을 위해 하는 것이라는 것**을 명확히 인지할 것이다. 얼마 전 평일 체험학습은 이제 더 이상 가고 싶지 않다는 아들의 선언을 보건대, 모르는(몰라지는) 상황을 반기지 않는다. 그리고 여러 대화를 통해서 잘 해내고 싶다는 마음의 준비가 되어있음을 확인 가능하다. 스스로 필요한 때가 되면 게임은 내려놓고 몰입할 준비가 되어있다. 확신할 수 없지만 그래 보인다. 또한 그렇다고 지금 공부에 문제가 있진 않다. 매우 양호한 수준이다. ② **부모는 부모의 삶이 있고, 자신은 자신이 삶이 있음을 알아갈 것이다.** 이미 부모의 성공이 자신의 성공이 아님을 자신의 성공이 부모의 성공 역시 아님을 알고 있다. 그저 서로 응원하고 축하해 주는 그런 일임을 명확히 인지한다. 적어도 어떤 책에서 언급되는 부모의 기쁨을 위해서, 부모의 칭찬을 듣고 싶어 공부하는 아이가 되지는 않을 것이다. 역시 반대의 경우(공부를 못해도)에도 엄마 아빠는 딱히 나무라지 않을 것이라는 것, 그때도 응원해 줄 것이라는 점도 아주 잘 알고 있다. ③ **인생은 행복을 위해 살아가는 것임을 알고 있고, 앞으로도 그럴 것이다.** 아빠의 조기 은퇴. 40대 중반 대기업을 퇴사하고, 나는 더 이상 남을 위해 살기보단 내 삶을 선택했다. 물론 나의 은퇴와 함께 우리 가족의 씀씀이는 다소 줄어들었다. 가족에겐 미안한 감정이 들 때가 있다. 나의 미안함에 아이가 이런 말을 해준다. "아빠가 좋은 거면 나도 좋아. 지금도 충분해. 걱정하지 마. 난 더 좋아"라고 말한다. 힘내라는 의미인 듯싶다.

아이의 이런 생각은 어디서 왔을까. 책을 매우 많이 보는 편도 아닌 듯한데. 이것은 아마도 집에서 나누는 대화에서 생겨났을 것이다. 우리 집은 다른 집과 크게 다른 한 가지가 있다. 기본적으로 하루 3-4시간을 대화하며 산다. 말로는 2-3시간, 운동하며 몸으로도 말한다. 1시간. 오고 가는 대화의 양은 엄청나고, 신문 덕분에 대화의 질도 나름 괜찮은 편이다. 일방적인 전달식은 아니며, 양방향 대화이다. 아빠는 이런데 너는 어떤 생각인지. 왜 이것은 이런 것인지. 그럼 아빠는 어떻게 생각하는지. 이것은 무엇인지. 그러니까, 이를테면, 마치 그것은, 비교하자면, 만약에 말이지... 끝없다. 아마도 이런 대화의 흐름 속에서, 나의 생각이 아이에게 고스란히 전해졌으리라. 아직 적절한 여과기가 없는 11살 아이의 생각에는 아빠의 생각이 대부분 그대로 머릿속에 한자리 차지하고 있을 것이다. 이제 조금씩 크면서 그것이 사실이었는지, 아니면 일부는 거르고 버려져야 하는 것인지, 새로운 가치관으로 고쳐 써야 하는 것은 무엇일지. 스스로 판단할 것이다. 그러면서 아이는 더 커가고, 성숙하고, 제법 어른스러운 자신의 철학을 가진 멋진 청년이 될 것이다. 그리고 본인만의 생각이 좀 더 자라, 의젓하고 아름다운 성인이 되지 않을까 싶다. 아이의 멋진 모습을 기대하며, 아직 어린 우리 아들에게 조금은 모범이 되었으면 한다. 적어도 옳지 않은 생각을 전달하지는 않도록... 오늘도 나는 나의 삶을, 나름 괜찮게 살아야겠다. 그것이 내가 할 일이다.

아들의 말처럼,
우리에겐 우리 각자의 인생이 있다.

넌 이런 생각을 하며 사는구나

우리는 아이를 믿어줄 필요가 있다. 때론 무조건적인 것일지라도 부모의 믿음은 자신에 대한 믿음으로 연결될 수 있다. "난 좋은 사람이야, 난 이 정도면 충분히 괜찮은 사람이지, 난 할 수 있어, 별것도 아니야..." 이처럼 아이가 자신을 믿고 사랑하는 것. 모든 긍정적 성취의 시작이다.

이를테면 이런 말들,
아빠는 널 믿는다. 에이 무조건 잘 된다. 걱정하지 마, 못해도 괜찮아, 다음에 잘하면 그만이야. 꾸준히 하다 보면 다 잘하게 돼있어. 아빠 엄마도 다 잘했던 건 아니야. 모두가 그렇게 시작하는 거야. 아들 이미 넌 충분히 잘했어... 등의 말을 해줄 수 있겠다.

이와 반대의 경우, 즉 믿어주는 것이 아니라, 믿을 수밖에 없는 상황. 사실 이것이 더욱 바람직한 상황도 있을 수 있다. 어느 날 아이에 대한 믿음이 절로 생기는 때가 있다. 이럴 땐 "아들, 너 이런 생각을 하면서 살고 있구나."라는 말이 나도 모르게 터져 나온다.

"아빠, 평일에 체험학습 한번 가자. 학교도 쉬면서 놀 수도 있고 좋잖아 ㅋㅋ. 여행지에 사람도 적어서 또 좋을 거고 말이지." 어린 자녀에게서 들을 수 있는 지극히 자연스러운 발언이다. 까짓 학교 하루 이틀 빠지는 게 뭐가 문제랴… 얼마든지 아들의 요청을 들어주고 싶었다. 학기 중에 체험학습이라는 제도를 통해 우리는 며칠 뒤 동해로 여행을 떠났다.

수영, 맛난 음식, 콘도, 모래, 파도, 밤바다, 밤하늘의 별들. 그리고 사진 찍고 웃고 떠들고. 우린 여유로운 평일 여행의 낭만을 제대로 즐겼다. 짧은 여행을 마치고 돌아온 뒤 첫 등교 날 뜻밖에도 아이는 시무룩한 얼굴이 되어 집으로 돌아온다. 이때 아이가 던지는 말이 다소 놀랍다.

"아빠, 나 다음엔 평일에 체험학습 안 갈래.

오늘 과학 수행평가를 하는데, 여행 간 날 배운 게 나왔어

너무 속상해. 잘 하고 싶은데.

수업만 들었어도 알 수 있는 건데 말이야..."

예상을 빗나갔다. 아주 한참. 사실 아이가 나에게 이런 말을
할 줄 알았다. "아빠, 다음에 또 가자" 그런데, 수업 빼서 여행
가는 걸 이제 그만하자고 말한다. 충격적이었다. 우리 아이는
이때 초등 3학년으로 성적이 나오는 것도, 뭘 좀 못해도 크게
문제 되지 않는다. 나 역시 무얼 못한다고 뭐라고 다그친 적은
기억에도 없다. 뭐지 이런 스스로 잘해내고 싶은 마음, 지극히
학생다운 생각.

아들, 넌 이런 생각을 하며 살고 있었구나.
그저 널 믿어주는 게 먼저라고만 생각했는데, 이젠 널 믿지
않을 수가 없구나. 물론 이것이 너의 전부는 아니겠지만,
아빠는 하나를 보면 열을 알 수 있다는 그 말을
조금 더 신뢰하기로 했다.
넌 이미 아빠의 생각보다 더 멋스러운 곳에 가 있구나.

우린 살면서 상대에게 매력을 느끼는 순간이 있다. 지난 18년 정도의 회사 생활 동안 가장 큰 매력을 느낀 사람은, 성실하며 주어진 역할을 잘 해내려는 마음가짐이 가득한 사람이었다. 결과를 떠나 난 늘 이런 후배를 더 좋아했다. 이런 사람을 만나면 늘 도와주고 싶었고, 좋은 기회가 있다면 밀어주고 싶었다. 그리고 이런 사람의 공통점은 결국은 그것을 멋지게 해낸다는 것이다. 이들에게 필요한 건 시간뿐이며, 어떤 순간에도 빛이 난다.

아이는 어떤 청년, 어떤 성인으로 자랄까. 이제 고작 11살이니 그저 응원하고 지지하며 관심 있게 지켜볼 뿐이다. 이미 아이는 충분히 매력적인 멋진 사람이었다.

이런 상황에서 내가 할 수 있는 것은 정해져 있다.
역시 또 다짐한다. 그저 내 삶을 잘 살자. 그것이 자녀교육의 최선이다.

아빠, 나는 이런 사람이야

자기 스스로에 대한 진단. 내가 생각하는 나. 이것은 남이 보는 나보다 늘 조금은 더 정확하다. 때론 남이 나를 더 잘 알 때도 있지만, 그런 일은 아주 드물다. 4학년 등교 첫날, 아이가 생각하는 '나'를 알게 된다. 몇 가지 질문이 적힌 유인물에 아들의 생각이 고스란히 적혀 있다.

① **4학년 첫 등교 날 나의 기분은** : 살짝 걱정된다. - 솔직히 적었구나. ② **나를 선생님께 소개한다면** : 저는 공부를 잘하는 성실한 학생입니다. - 녀석 잘 알고 있구나. ③ **내가 보통 아침에 등교하는 시각은** : 8시 25분쯤 ④ **내가 사용하고 있는** SNS는 : 카톡, 유튜브 - 그래, 넌 이 녀석들을 아주 사랑하지. ⑤ **내가 가장 좋아하는 과목은** : 체육 - 내 생각보다 활 동적인 아이였구나. ⑥ **내가 가장 싫어하는 과목은** : 국어, 글

쓰는 게 어렵다. - 그래서 독서록이 힘들었구나. ⑦ **내가 현재 다니고 있는 학원은** : 피아노, 복싱 ⑧ **내가 이루고 싶은 꿈은** : 아직 없음. - 솔직하구나. 천천히 가지렴. ⑨ **나의 장점 3가지는** : 귀가 크다. 공부를 잘한다. 선생님 말씀을 잘 듣는다. - 귀가 크다 ㅋㅋ ⑩ **나의 고쳐야 할 3가지는** : 게임을 좀 많이 한다. - 역시 잘 알고 있구나. ⑪ **그동안 만났던 선생님 중 가장 좋았던 분은** : 2학년 담임 선생님 - 그래 아빠도 인정 ⑫ **3년 동안 했던 활동 중 가장 좋은 것은** : 피구 - 그래 생각보다 정말 활동적이구나. ⑬ **2024년 해내고 싶은 도전은** : 공부 열심히 하기. 게임 시간 줄이기. 피아노 체르니 30 들어가기 - 과연 게임 시간이 줄까? ⑭ **가족 중 내가 가장 좋아하는 사람과 이유는** : 아빠. 나랑 잘 놀아준다. - 아들. 아주 보람된다. ㅋㅋ ⑮ **집에서 어른들이 많이 하는 말씀은** : 공부해라. 밥 많이 먹어라 - 공부해라. 이거 반론을 제기한다.

'공부 잘하는 아이'에 대해서는 조금 궁금해서 질문을 던진다. "너 스스로의 인식이냐, 아니면 남들이 그렇게 이야기해서 그렇게 생각한 것이냐?" 아이가 답한다. "아니 애들도 그렇게 말해주고, 엄마 아빠 선생님도 그렇게 말해줘서 ㅋㅋ"

또 아이를 알아간다. 알아가는 것은 늘 즐겁다. "잘 커주어
고맙고 올해도 파이팅 하자!"

미래에서 온 아이

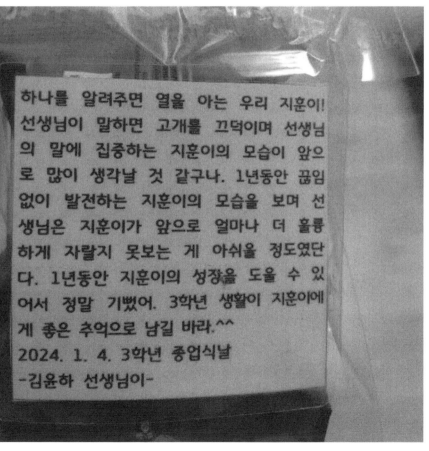

하나를 알려주면 열을 아는 우리 지훈이! 선생님이 말하면 고개를 끄덕이며 선생님의 말에 집중하는 지훈이의 모습이 앞으로 많이 생각날 것 같구나. 1년동안 끊임없이 발전하는 지훈이의 모습을 보며 선생님은 지훈이가 앞으로 얼마나 더 훌륭하게 자랄지 못보는 게 아쉬울 정도였단다. 1년동안 지훈이의 성장을 도울 수 있어서 정말 기뻤어. 3학년 생활이 지훈이에게 좋은 추억으로 남길 바라.^^
2024. 1. 4. 3학년 종업식날
-김윤하 선생님이-

종업식. 선생님의 격려가 가득 담긴 한 말씀. 아들은 본인의 자리에서 최선을 다하고 있었다.

너의 별명은 OO이다.

누군가를 이름 외에 다른 무엇으로 불러줄 때, 보통 그 단어 안에는 그 사람의 특징이 담겨있다. 이런 건 이름에서는 알 수 없다. 예를 들면 꺽다리, 멸치, 왕눈이, 전술가, 똘똘이, 박사님 등이 일반적이다. 난 아들의 별명을 몇 가지 알고는 있는데, '코송이'라는 별명이 있다. 머리 스타일이 과자 '초코송이'를 닮았다 해서 반 친구들이 붙여준 별명이다. 아이의 정체성 가득 담겼다. 또 멸치라고도 불리는데, 느낌이 확 와닿는다. 실제 좀 말랐다. 4학년이 되면서 살이 조금 붙었는지 이 별명은 작별한 듯하다. 그리고 집에서는 박사님이라고 부르는데, 좀 스마트해서 붙여준 것이다. 또 '시간 정복자'라는 별명은 게임할 때 1분 1초를 귀하게 여기며 시간을 소중하게 다룬다는 점에서 붙여주었다.

별명을 떠올리니, 나 역시 제법 있었다. 왕눈이, 홍당무, 귤박사... 회사를 다닐 때는 '기획의 홍'이라는 별명이 붙었다. 난 기획. 계획하는 것을 좋아했고, 나름 잘 했었다. 그래서 주변에서 붙여준 별명이다. 이 '기획의 홍'이라는 별명은 왕눈이, 홍당무 등에서는 느끼지 못했던 묘한 감정이 올라온다. 뭔가 나를 대변해 주는, 내 태생적인 한계를 극복한 삶에 대한 나의 자세, 태도, 성취 등을 반영해 준 것 같다. 별것 아니지만 누군가 '기획의 홍'이라 부르면 그냥 좀 좋고, 좀 더 기획적으로 살아야겠다는 이상한 다짐도 올라온다. 별명이 이런 효과가 있었나...

별명에 효과가 있다면, 그럼 이거 써먹어야지. 혼자 알고 있기는 조금 아깝다. 내가 기분 좋아했던 별명의 특징이 무엇이었나. 내가 만들어낸 이미지, 긍정적 느낌, 들으면 왠지 잘 살았구나 싶은 마음에 과거의 나를 기분 좋게 떠올릴 수 있는 것, 그리고 남들과 차별되는 흔하지 않은 느낌.

아들에게 이런 건 무엇일까. 3학년 담임선생님께서 적어주신 종업식 인사와 생활통지표에 있는 평가를 뒤적인다. ①하나를 알려주면 열을 아는 ②선생님의 말에 집중하는 ③끊임 없이 발전하는 ④미래가 기대되는 학생… ④번이 제일 맘에 든다. 생활 통지표에 적힌 선생님의 멘트를 다시 본다.

"훌륭하게 성장하리라 생각되며,
앞으로의 미래가 기대되는 학생임."

미래에서 온 아이.

아들, 이것은 너의 별명이다.
너의 과거와 현재의 모습에, 미래지향적 느낌을 담았다.
앞으로 아빠는 너를 이렇게 부르려고 한다.

이날 이후 난, 실제로 아이를 이렇게 부른다. 뜬금없지만 아이의 미래가 조금 더 밝아질 것 같은 느낌이다. 듣는 아이는 어떨까. 내가 회사에서 '기획의 홍'이라는 별명으로 불릴 때처럼 긍정의 기분이 들까. 확신할 수 없다. 뭐 그렇다고 나쁜 영향을 주지는 않을 것이다. 아이는 궁금했나 보다. 자기가 왜 '미래에서 온 아이'냐고 내게 묻는다. 그래서 답해준다. "너는 미래가 기대되는 아이다. 이건 선생님이 공인해 주신 것이다. 선생님은 아마도 '미래'라는 단어를 적으실 때 너의 모습을 떠올려 보셨을 것이다. 그 선생님의 상상 속에 넌 분명 멋진 청년이고 성인이었을 것이다. 그래서 넌 선생님의 상상 속에서 현실로 돌아온 미래에서 온 아이다. 나는 종종 이렇게 부를 것이다. 이렇게 부르면 정말 이렇게 될 것이다. 나는 그렇게 믿고 있다. 이것은 사실이다. 이름을 부르면 꽃이 되는 것처럼 말이다.

꽃. 김춘수

내가 그의 이름을 불러주기 전에는
그는 다만
하나의 몸짓에 지나지 않았다.

내가 그의 이름을 불러주었을 때
그는 나에게로 와서
꽃이 되었다.

내가 그의 이름을 불러준 것처럼
나의 이 빛깔과 향기에 알맞은
누가 나의 이름을 불러다오.
그에게로 가서 나도
그의 꽃이 되고 싶다.

우리들은 모두
무엇이 되고 싶다.
너는 나에게 나는 너에게
잊혀지지 않는 하나의 눈짓이 되고 싶다.

제 6장

세상을 공부한다. 아니 놀이한다 (feat. 신문)

우린 매일 아침
공부하듯 논다. 엄밀히 말하면 놀이인데 공부된다.

매일 꽃이 터진다. 식탁 위 서로의 얼굴에서
대화와 웃음이라는 꽃이 터진다.
경제, 역사, 생활, 문화, 시, 소설⋯ 끝없다.
그리고 재밌다.

뭐든 재밌어야 한다. 그래야 등굣길이 즐겁다.
그러면 하루가 즐겁다.

때가 되면 나는 이것을 보물 상자에 담을 것이다.

그리고 네가 너의 가정을 꾸릴 때, 이것을 선물할 것이다. 아마도 어설픈

선물이 될 것이다. 우리가 전에 만들었던 액자처럼...

우리의 자랑, '신문 퀴즈'는 이렇게 시작했다.

오늘따라 왠지 하루 종일 기분이 좋을 때가 있다. 기분이 좋은 나머지 평소 같으면 언짢을 법한 일에도 관대함이 솟아난다. 짜증스러운 상황에선 "괜찮아"라로 웃을 수 있다. 또 반대로 모든 일에 짜증이 섞이고 예민하며 집중하기 어려운 날도 있다. 이런 날은 별것 아닌 일에도 날 선 반응을 보이게 된다.

우리가 갖게 된 어떤 기분은, 다음 일에도 영향을 미친다. 만약 시작이 반이라는 이론을 대입한다면, 하루의 시작인 아침, 가정에서의 분위기는 온 하루에 걸쳐 가족 구성원의 감정, 그 주변인의 감정, 그들의 하루만큼의 인생에 영향을 미친다. 이 시작을 곱게 컨트롤할 수 있다면 우리는 그만큼 더 잘 살 수 있을지 모른다. 우리 가정에서의 아침이 소중한 이유다.

부모는 집안 분위기를 결정하는 절대 권력을 가진 회사의 CEO이다. 전체를 조율하는 지휘자이다. 적어도 어린아이에겐 매우 그렇다.

어느 날 세상 해맑은 표정과 온화한 말투로 아이를 대한 적이 있었을 것이다. 영문도 모른 채 아이의 얼굴엔 웃음이 가득하며 목소리는 맑고 표정은 세상을 다 얻은 듯하다.

어느 날 세상 무서운 심각한 표정으로, 말없이 아이를 대한 적이 있었을 것이다. 영문도 모른 채 아이는 슬펐을 것이다. 그리고 그 감정으로 본인이 가야 할 학교를 향해 집을 나섰을 것이다. "혹시 내가 뭘 잘못했나..."라는 생각을 하면서.

나는 절대 권력자이다. 권력을 양분하고 있긴 하지만 어쨌든 가정의 권력자인 것은 확실하다. 아이는 나의 감정적 지배 아래 있다. 이게 사실이라면, 내가 좋은 마음으로 좋은 생각으로 온화한 얼굴로 아이를 대하면 아이는 행복하겠구나.

이 구조적 흐름은 알겠다. 그런데 그럼 무엇을 어떻게 해줄 수 있을까. 그저 매일 허허 웃을까. 사랑한다 말할까...

이미 말했듯, 난 왕년에 '기획의 홍'이 아니었던가. 하고 싶은 것이 생겼으니, 전략 과제를 수립하여 즉시 실행할 차례이다.

신문으로 세상을 배우자. 알려주자. 대화하자.
그런데 배우는 건 지루하며 재미없다.
재미를 더하여. 신나게. 그래! 퀴즈를 만들자.
이거 정말 좋겠다.

짧은 신문기사 하나에 나의 1시간을 투입하면 온 가족이 행복할 수 있다. 그렇게 웃고, 떠들고, 생각하며, 세상 공부하며 하루를 싱그럽게 시작할 수 있다. 이 아름다운 시작은 온 하루에 긍정적인 영향을 미쳐 제법 근사한 하루가 된다.

이른 아침 신문 한 부를 쭉 읽어본다. 나만의 세상 공부를 하는 시간이다. 이때 아이에게 공유할 만한 좋은 기사 하나를 선택(가위로 오려서)한다. 오늘의 퀴즈라는 이름으로 ① 아이가 알면 좋을 어휘, ② 더불어 그날의 이슈 중 알아두면 좋을 이야기를 퀴즈 형태로 만든다. 그리고 식탁에 앉는다.

재미난 리듬을 담아서 "오늘의의의 퀴즈!"라고 외친다. 그다음 준비한 퀴즈를 출제한다. 틀리면 웃고, 맞으면 더 크게 웃어준다. 물론 '딩동댕'이라고 외치며 손으로는 동그라미를 만들어 허공에 여러 번 휘젓는다. 이러면 더 재밌다. 이때 약간의 재미난 예시와 농담을 섞으면 배움과 웃음은 배가된다. 또한 좀 더 많은 내용을 알려주고 싶을 때는 유튜브, 나무위키 등을 참고하면 매우 훌륭하다. 퀴즈 시간은 대략 10분. 이 10분의 시간 동안 바이러스가 사방으로 퍼진다. 웃음, 배움, 지식, 행복 같은 긍정적인 것들이다. 사례 하나를 소개한다.

2024.06.04 한국경제신문

24.06.24일자 한국경제신문. '유승호의 경제야 놀자'에 소개된 마태효과에 대한 기사다. 신문에 펜으로 적었던 문제를 당시 블로그에 정리했다. 그것을 옮겨온다.

알려주고 싶은 것
① 야구계의 마태효과는 사라졌다. 그 이유가 무엇일지 알아본다. ② 마태효과가 사라진 야구계에 벌어지고 있는 2024 시즌의 특이점은 무엇 ③ 야구 심판의 스트라이크. 볼 판정에 영향을 미치는 요소를 확인한다. ④ '마태효과'라는 단어의 의미를 문장을 통해서 알아본다.

오늘의 퀴즈
'빈익빈부익부 현상을 이르는 말. 우위를 차지한 사람이 지속적으로 우위를 차지하게 될 확률이 높은 형상을 의미한다'라는 의미로, 아래 문장의 빈칸에 들어갈 단어를 고르시오.
○○○○는 미국 사회학자 로버트 머튼이 1969년 주창한 개념이다. 머튼은 무명 과학자가 저명한 과학자와 비슷한 연구 성과를 내도 연구비 지원은 저명한 과학자가 많이 받는 현상을 ○○○○라고 했다. 그런 현실을 '무릇 있는 자는 받아 넉넉해지고 없는 자는 있는 것도 빼앗기리라'라는 마태복음 구절에 빗댄 것이다.
① 나태효과 ② 백태효과 ③ 마태효과 ④ 라떼효과

야구에서 심판의 스트라이크. 볼 판정 (스트라이크존 크기 변화)에 영향을 미치는 요소는 여러 가지가 있다. 이에 해당하지 않는 요소를 고르시오.
① 선수 이름값. 명성
② 선수 인종 (동일 인종의 투수에 스트라이크존 확대)
③ 볼카운트 상황 (스트라이크존이 투 스트라이크 이후엔 좁아지고, 쓰리 볼 이후엔 넓어짐)
④ 심판의 체격 (90kg 이상은 스트라이크존이 넓음)

재밌는 기사가 있다. 올해 프로야구에서 젊은 선수들이 맹활약을 펼치고 있다. 특이한 상황으로, 그 이유를 찾아보니... 올 시즌 도입된 자동 볼 판정 시스템(ABS)이 영건의 약진과 관련이 있다고 한다. 바로 마태효과. 투수가 판단 애매한 공을 던졌을 때 심판은 유명선수엔 '스트라이크' 무명엔 '볼'을 판정할 가능성이 높다고 한다. 이름값이 지워지니. 실력으로 평가받는 세상이 온 듯싶다. 기자가 말하듯. 우리 사회 다른 문야에도 ABS가 필요한 것은 아닐까... 오늘은 아들과 야구. 마태효과. 빈익빈부익부. ABS. 류현진 등 이야기를 나눈다. 유익한 즐거운 시간이다.

많은 부모가 아이와 긴 대화를 원한다. 대화가 좋다는 것을 우리는 이미 안다. 그러나 실제로 긴 대화를 하는 것은 쉽지 않다. 그렇게 나눌만한 관심 가는 주제, 소재를 찾기가 어렵다. 있어도 곧 고갈된다.

그러나 우린 매일 아침 신문으로 퀴즈를 푼다. 아름다운 아침은 이렇게 찾아온다. 만끽하고 있다.

이제 아이는 등교할 시간이다.

어김없이 아이가 현관 문을 열고 나선다. 아침 식사시간에 실컷 웃으며 장난치며 퀴즈 풀고 나서는 등굣길이다. 얼굴에는 웃음이 가득하고, 발걸음은 가볍다. 덕분에 '안녕' 말하며 흔드는 손은 바쁘다. 맞은편 나 역시 이에 질세라 바쁘게 손을 흔든다. "아들, 잘 다녀와라."

하루를 웃으며 시작하는 것, 간단한 시도만으로도 충분히 가능하다. 그리고 이렇게 시작된 아침은, 그날 하루 벌어지는 많은 일들에 긍정적인 영향을 미칠 것이다. 놀라운 마법이 벌어지는 순간이다. 매일 1시간 남짓. 온 하루를 컨트롤하는 시간이다.

우리의 퀴즈는 계속된다. 최근 20일의 기록이다. 이것은
추억, 사랑, 행복이며 배움의 성지이다.

자녀교육(신문) 161개의 글

목록닫기

글 제목	조회수	작성일
자녀 교육 (신문 → 오늘의 퀴즈 : 1957년 삼성과 럭키금성의 관계는) (3)	7	2024. 7. 6
자녀 교육 (신문 → 오늘의 퀴즈 : 아들, 공기업은 왜 존재할까)	9	2024. 7. 5
자녀 교육 (신문 → 오늘의 퀴즈 : 대장주, 동전주, 삼양, 농심)	11	2024. 7. 4
자녀 교육 (신문 → 오늘의 퀴즈 : 담보(부동산, 동산, 인적) 중에 절대 금물인 담보는??)	10	2024. 7. 3
자녀 교육 (신문 → 오늘의 퀴즈 : 아들, 넌 몇 살까지 일하고 싶냐??) (1)	9	2024. 7. 2
자녀 교육 (신문 → 오늘의 퀴즈 : '캔돈' 삼겹살을 캔에 넣어 얻는 장점은 무엇?) (5)	15	2024. 7. 1
자녀 교육 (신문 → 오늘의 퀴즈 : TV토론 바이든 KO패. 이곳에서 우리가 배울 점은??) (2)	14	2024. 6. 30
자녀 교육 (신문 → 오늘의 퀴즈 : 베트남 결혼 답례품 OO파이) (4)	14	2024. 6. 28
자녀 교육 (신문 → 오늘의 퀴즈 : 주택연금 국민연금 기초연금 퇴직연금) (6)	21	2024. 6. 27
자녀 교육 (신문 → 오늘의 퀴즈 : 스프링클러, 스프링쿨러) (1)	10	2024. 6. 26
자녀 교육 (신문 → 오늘의 퀴즈 : 조선산업현장 전문인력양성...이걸로 알 수 있는 것은??)	11	2024. 6. 25
자녀 교육 (신문 → 오늘의 퀴즈 : 엑소더스, 엑스라지, 엑스트라, 엑슨모빌) (2)	13	2024. 6. 24
자녀 교육 (신문 → 오늘의 퀴즈 : 세계 최고의 자동차 영업사원. 그는 고객에게 무엇을 팔까?) (2)	17	2024. 6. 22
자녀 교육 (신문 → 오늘의 퀴즈 : 패션업계 불황 속 다른 전략)	9	2024. 6. 21
자녀 교육 (신문 → 오늘의 퀴즈 : 아들, 시가총액이 뭐게?) (1)	15	2024. 6. 20
자녀 교육 (신문 → 오늘의 퀴즈 : 최저임금 업종별 차등??) (1)	16	2024. 6. 19
자녀 교육 (신문 → 오늘의 퀴즈 : 암표, 돈으로 시간을 산다) (9)	20	2024. 6. 18
자녀 교육 (신문 → 오늘의 퀴즈 : 디지털 관광주민증. 무엇?) (2)	19	2024. 6. 17
자녀 교육 (신문 → 오늘의 퀴즈 : 폭염 살인. 우리는 더위로 죽을 것) (3)	37	2024. 6. 15
자녀 교육 (신문 → 오늘의 퀴즈 : 돈가스, 함박스테이크, 오므라이스) (1)	14	2024. 6. 14

글관리 열기

20줄 보기 ∨

1 2 3 4 5 6 7 8 9

난 이것을 '배움의 성지'라고도 표현한다. 이 표현은 약간의 근거가 필요하다. 그래서 완전학습 바이블로 유명한 임작가의 책 '후천적 공부머리를 키워 주는 부모 습관 10'에서 소개하고 싶은 구절을 옮겨온다. 우리가 상류층이든 노동자 계층이든 이사실은 교육에 있어 중요치 않다. 극복할 수 있는 방법이 있기 때문이다. 신문이 이것을 자연스럽게 해결한다. 혼자 읽어도 좋겠지만 함께하면 더 큰 무엇이 있다.

영국의 사회학자 번스타인은 상류층 아이들에 비해 노동자 계층 아이들의 성적이 언어를 많이 사용하는 과목일수록 낮은 것에 주목했습니다. 언어를 덜 사용하는 수학 성적은 차이가 크지 않았는데, 유독 언어를 많이 사용하는 과목일수록 노동자 계층 아이들의 성적이 현저히 낮았던 겁니다. (…) 상류층 아이들의 부모는 아이들과 대화할 때 학문에 자주 쓰이는 언어를 사용합니다. 그런 대화를 듣고 자란 아이들이 학교 수업에 사용되는 언어에 적응하는 건 일이 아니에요. 반면 노동자 계층 아이들의 부모는 주로 생활밀착형 언어를 사용합니다. 이런 대화에 익숙한 아이들은 수업에 등장하는 언어들이 낯설게 느껴질 수밖에 없을 거예요.

장학 퀴즈 (월 결산)

초4. 11살 아이와 '신문 퀴즈'를 한지도 이제 반년이 넘었다. 매일 함께하는 퀴즈와 더불어, 매월 말일이 되면 한두 달 동안 풀었던 퀴즈를 복습한다. 그런데 이거 '복습'이라는 말에 아들이 거부감을 보일 수 있다. 그래서 몇 가지 흥미요소를 반영한다. 일단 사회자의 멘트에 재미를 더했다. 노래도 좀 부른다. 전국 노래자랑의 오프닝을 도입했다. "따따따 따따 따 따 따라라라…" 뭐 대략 이렇게 시작하는 것이다. 또한 결산 퀴즈에 걸맞게 푸짐한 상품을 제시했다. 또한 웬만하면 100% 맞출 수 있도록 찬스 두 개(지우개, 엄마)를 제공했다. 이 정도면 재밌다.

이렇게 세팅하고는, 우리는 이것을 '장학퀴즈(월 결산)'라고 부르기로 했다.

어떤 것이 지속되며 계승 발전되고
더불어 그 공동체를 대표할 수 있는 특징을 보인다면
그것은 이미 그들의 문화이다.

그렇게 '신문 퀴즈, 장학 퀴즈'는
우리 가족의 대표하는 또 하나의 문화가 된다.

상품은 대략 이렇다. 총 3일차에 해당하는 문제를 내고, 각 문제를 클리어할 때마다 상품이 제공된다. ① 따뜻한 격려 → ② 게임머니 충전 → ③ 종일 게임권. 지난 5월 결산 퀴즈를 책에 남겨 둔다.

퀴즈 1. (04.04.27)

전기차 시장 성장세가 주춤하며, 그 틈을 타서 하이브리드카 시장이 뜨겁게 달아오르고 있다는 4.27일자 기사이다. 캐즘(대중화 직전 일시적인 수요 둔화), 하이브리드카 시장에서 전 세계 독보적인 1위가 일본이라는 것, 그리고 하이브리드카가 일반 내연기관 차량에 비해 연비가 우수한 것이 가장 큰 특징임을 퀴즈를 통해서 알고 있다. 관련 3문제를 모두 맞추어서 따뜻한 격려를 보내주었다.

기아, 日과 승부 … 소형 하이드리브車도 만든다

퀴즈는 매일 오려낸 신문에 적어놓은 문제로 진행하고, 그것을 블로그('호르홍과 함께 성장하는 우리')에 기록한다. 월 결산 장학퀴즈는 블로그에 기록된 자료를 보면서 진행한다. 뭐든 쌓이면 좀 의미가 깊다.

퀴즈 2. (04.04.28)

국민 초콜릿 '가나'가 1초에 4개씩 팔린다는 기사이다. 새로운 지식을 전달하기보다는 아들과 재밌는 이야기가 하고 싶어서 선택한 기사였다. 아무튼 아들은 '불티나게(물건이 내놓기가 무섭게 빨리 팔리거나 없어지다)'라는 단어를 잘 기억하고 있었고, '가나초콜릿'은 특유의 감성을 살린 광고 마케팅으로 유명한데, 이미연, 전지현, 아이유 등이 모델을 했던 것도 기억했다. 역시 모든 문제를 맞히고 게임머니를 획득한다.

2024.04.28 한국경제신문

'국민 초콜릿' 가나, 1초에 4개씩 팔린다

◀ K푸드 스테디셀러 스토리

롯데웰푸드 50년째 초콜릿 1위
'프리미엄 가나'로 제2 도약

퀴즈 3. (04.05.02)

'깡통 논란' 새마을금고가 5000억 배당잔치를 벌였다는 기사이다. 핵심 주제는 '도덕적 해이'다. 우리 주변의 '도덕적 해이'는 어떤 사례들이 있는지 이야기를 했었다.

작년에 뱅크런 위기에 직면했고, 이런 이유로 깡통 금고라 불리기도 했으며, TV 광고에 '무궁무진'이라는 카피로 알려진 금융회사가 어디인지 다시 떠올려 보았다. '도덕적해이'의 개념을 복습했다. 역시 다 맞추어. 하루 온종일 게임을 할 수 있는 권리를 확보했다.

2024.05.02 한국경제신문

'깡통 논란' 새마을금고 5000억원 '배당 잔치'

작년 순익 '20분의 1 토막'

431곳 적자 · 부실채권도 많아
"도덕적 해이 극에 달해" 지적

신문으로 할 수 있는 것들이 참 많다.

매일 퀴즈를 하고, 그것으로 파생되는 다양한 이야기를 나눈다. 그것은 재미나다. 그리고 유익하다. 그리고 월 말에는 또 이렇게 '장학퀴즈'라는 우리만의 놀이문화를 즐긴다.

아이의 표현을 들어보면
이것이 얼마나 즐거운 놀이인지 알 수 있다.

아들 : 아빠 이번 달 장학퀴즈 언제 할 거야.

　　　오늘 하면 안 될까.

아빠 : 안돼. 그건 월말에 하는 거야. 근데 그거 재밌냐.

아들 : 쫄깃하고. 재밌고. 또 상품도 타고. ㅋㅋ

아빠 : 재밌다니 아빠도 좋다.

아빠 : 근데 복습 안 해도 괜찮겠냐. 이번 달은 좀 어려운데?

아들 : 에이, 걱정하지 마, 날 무시하는 건 아니겠지. ㅋㅋ

장학 퀴즈 (반기 결산)

180일 : 우리 가족 신문 퀴즈 누적 일수.

450개 : 아이와 함께 푼 문제 (어휘. 이슈. 논리....)

540번 : 식탁에서 피어난 웃음.

????? : 오고 간 대화. 따뜻한 감성. 배운 지식.

지난 6개월간 우리가 '신문 퀴즈'를 통해서 얻은 숫자이다. 확실치는 않지만 오고 간 대화의 양은 얼마나 될까. 유추해 보면, 100개의 단어로 작성된 짧은 기사 하나를 읽어주는데 대략 1분, 그럼 매일 우린 매일 10분 정도 퀴즈 시간을 가지니까… 매일 1000단어다. 180일을 곱하면, 약 18만 개의 다양한 어휘들이 퀴즈를 통해 오고 갔다. 아무튼 엄청난 양이다. 이러한 양적, 숫자적인 의미도 크지만, 나에겐 더 큰 의미가 있다. 약속. 지속. 성실. 본보기. 따위의 것들이다.

이런 것들이다. 자백 같기도 하지만 어느 정도 사실이다.

아들, 아빠는 너와의 약속을 지켰다.
올해 매일 이 '신문 퀴즈'를 해주겠다고 했던,
작년 12월의 그 약속 말이다

무언가를 꾸준히 지속한다는 건 생각보다 어렵다.
그래서 귀하고, 조금 멋지고, 의미 깊다.
이런 게 쌓이면 뭐,
우리가 법칙이라 말하는 1만 시간이 아닐까.

전문가는, 비상한 머리로 되는 것이 아닐지도 모른다.
우리보다 더 오래 그걸 했기 때문일 것이다.
우리도 파이팅 하자.

적어놓고 보니 약간의 오버스럽지만, 이와 비슷한 이야기를
아들에게 해줬다. 좀 뿌듯하고 괜한 취기가 올라 그런듯하다.
어느덧 6개월. 반기 결산 퀴즈에는 더 풍성한 것들을 담았다.
그리고 사전에 카톡을 통해 공지했다. 월 결산 퀴즈의 두 배에
달하는 상품들... 아이의 의욕이 하늘로 치솟는다.

7개의 날짜. 약 20여 개의 문제.

지우개 찬스와 엄마 찬스를 사용하고 두 번의 위기를 극복한 아들은 6개의 상품을 획득했다. ① 따뜻한 포옹, ② 종일 게임권 2장(게임데이), ③ 게임머니 1.5만과 즉시 게임머니 화 될 5만 냥. ④ 피자 한 판.

평소 1장 주어졌던 종일 게임권이 결산 퀴즈를 맞아 두 장이 주어졌다. 한 장은 이번 주 일요일. 그리고 나머지 한 장은 아주아주 필요한 순간에 쓰겠다며, 아껴두었다. 역시 넉넉하면 여유롭고 생각이 커진다.

이렇게 우린 대장정. '신문 퀴즈 6개월 Road'를 달려왔다. 그리고 어제 '상반기 결산 퀴즈'라는 또 하나의 멋진 이정표를 세웠다.

결산 퀴즈가 열렸던 그날,
어김없이 전국노래자랑의 BGM이 울렸고, 분위기가 한껏 달아올랐다. 6개월 결산이니 좀 특별히, 나와 아들은 어설픈 율동도 가미했다. 흥이 오른다. 분위기에 취한다. 폭죽은 없었지만, 이곳은 축제 그 이상이었다. 일상의 소소한 행복, 어제도 어김없이 그런 하루였다.

아들이 흥에 취해 묻는다.
"아빠, 12월 결산 퀴즈는 상품이 뭐야? 규모가 지금 보다 더 커야겠지? 그렇지?"

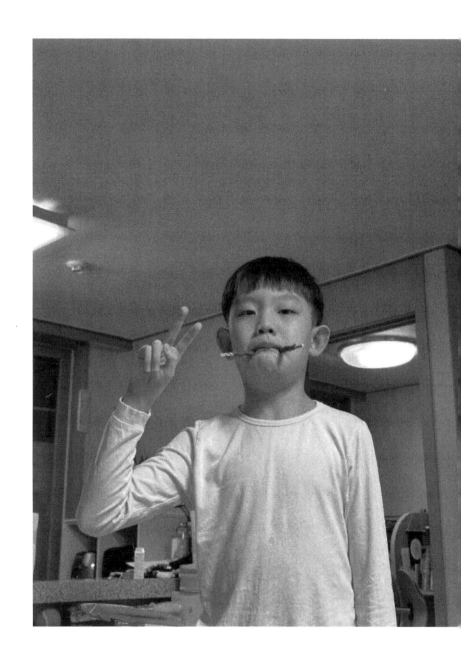

신문 퀴즈가 없던 날

아빠, 미안한데 오늘은 집중을 못 하겠어.

 아침 식사시간 '신문 퀴즈'를 시작한 지 2개월쯤 되던 어느 날이다. 여전히 난 아이와의 신문 퀴즈를 준비한다. 그런데 이날은 좀 특별하다. 새 학년 첫 등교.

 식탁에 앉은 아들의 표정이 평소와 조금 다르다. 걱정 가득한 얼굴. "아빠, 오늘 4학년 첫 등교 날이라 그런지, 집중을 못 하겠어… 미안한데 오늘은 퀴즈 건너뛰면 안 될까?" 아들을 위해서 하는 것인데. 안될 이유가 없다. 이렇게 이날의 퀴즈는 생략된다. 이것으로 2개월 동안 쉼 없이 달렸던 우리의 "신문 퀴즈"는 첫 방학을 맞았다.

아들 : 괜찮겠지. 선생님은 좋은 분이면 좋겠는데.

아빠 : 걱정하지 마. 이따 하교할 때는 지금의 걱정이
　　　아무것도 아니란 걸 알게 될 거야.

아들 : 그래 알겠어.

엄마 : 든든하게 많이 먹고 가. 오늘 몇 시에 끝나지?

아들 : 1시 이후에 끝나.

아빠 : 그래 너무 걱정하지 말고. 이따 오후에 보자.

엄마 : 집에 왔다가 피아노 가면 시간이 맞겠다.

아들 : 응응 알겠어.

　아침에 우리가 나눈 대화이다. 물론 이것이 전부는 아니지만 전반적인 대화의 내용은 크게 다르지 않다. 잘 다녀와, 괜찮아 많이 먹어, 다 먹었어, 얼른 씻자, 준비물은, 교실 잘 찾아가고 등의 일상적인 것이며 반복되는 생활과 닮아 있다.

　생각해 보니 우린 2개월 전, 그리고 그 이전에 대부분 이런 대화로 아침을 시작했었다. 물론 화목했고 또 가끔은 재미난 이야기로 많이 웃었지만, 대화의 주제는 우리네 일상을 멀리 벗어나지 못했다. 오늘 왠지 뭔가 좀 허전하다.

무언가 지속했던 것이 사라지거나 생략되면,
순간 어색하다. 그리고 잠시 뒤 그 이유를 알게 된다.
익숙해서 잊고 있던 것들은 소중했구나.
의미가 분명해지고 커지는 순간이다.

허전한 기분은 퀴즈를 하면서 내가 전하려고 했던 말들이
생략된 탓이다. 보통 퀴즈를 만들 때, 난 제법 진지하다. 이
기사로 알려주고 싶은 것. 그것을 어떻게 하면 쉽게 전달할까.
혹은 재밌게 웃을 수 있는 포인트는 무엇일까. 이것과
연관해서 확장시킬 수 있는 대화는 무엇인가. 아이의 가치관,
생각을 물을 수 있는 지점은 어디일까. 이런 이야기는 언제
던져야 어색하지 않을까... 마음만큼은 수능을 출제자의
그것을 능가한다. 오늘 전하려고 한 것은, 나의 시나리오는
이렇다. 생략된 대화를 적어본다.

아들, 요즘 대학생들은 OO 없는 삶을 산데. 엄마 아빠 대학
다닐 때에는 그래도 약간의 여유는 있었는데, 더
심각하구나. 문장을 듣고 OO에 들어갈 말을 한번 맞춰보자.
'1학년부터 준비하지 않으면 취업 낭인이 될 것 같은
불안이 커요.' 대기업 공채 채용이 3분의 1토막 수준으로
줄어든 뒤 대학가 풍경이 크게 달라졌다.

대학의 OO을 뒤로한 채 1학년 때부터 학교와 신입생들이 취업 준비에 뛰어들면서 새 학기 캠퍼스가 취업 사관학교로 변모하고 있다. OO에 들어갈 단어의 보기를 들어 줄게. ①기쁨, ②감흥, ③여유, ④낭만 "낭만!", "딩동댕!" 낭만은 사전적 의미로 현실에 매이지 않고 감성적이고 이상적으로 사물을 대하는 태도나 심리 또는 그런 분위기를 말해.

아빠는 90프로의 현실과 10프로의 낭만을 사는 것 같다. 아들은 어때? 넌 낭만 몇 프로 정도 되는 것 같아?

그리고 두 번째 문제는

대졸 취업 준비생들이 점점 취업하기 힘든데, 그 이유가 아닌 것을 골라봐. ①기업들이 신입사원 채용 시 공개채용 규모를 축소한다. ②기업이 가르쳐야 하는 신입사원보다 경력직 채용을 선호한다. ③ 한국경제가 저성장 불황의 시대를 보내고 있다. ④ 대학 졸업생들이 외국 회사 취업을 선호한다. 국내 일자리는 경쟁력을 잃었다. ⑤국내 기업들이 외국(미국, 동남아 등)에 제조 시설을 짓고 있다. 국내에는 일자리가 늘지 않는다. 이 중에서 취업이 어려워지는 이유가 아닌 것은 무엇일까. "아빠. 다시 한번 읽어줘", "그래 1번... 5번...", "정답 4번", "딩동댕"

이 외에도 고령화사회가 되면서 은퇴 이후 길어진 삶, 연금 부족, 건강보험공단의 적자... 등으로 정년을 연장하려는 움직임이 있다. 그러면 젊은 세대들에게는 이것 또한 취업이 어렵게 되는 이유가 될 듯하구나. 현재는 정년이 60세인데, 앞으로는 65세, 70세 이렇게 정년이 늘어날 수 있다. 오늘 기사 보니까, 아빠는 이런 생각이 든다. 이젠 비슷한 장점만으로는 점점 좁아질 취업문을 뚫어내기 쉽지 않을 것 같아. 그럼 뭔가 좀 특별한 사람을 더 선호하지 않을까 싶구나. 정말 탁월한 실력, 특별한 성공 레퍼런스, 흥미로운 분야에서의 1만 시간... 어렵다 그렇지? 한참 뒤의 일이다. 너무 멀리 가진 말자. 일단 오늘 즐겁게 놀자. 그리고 이런 건 천천히 고민하자.

우리가 이날 나눌, 내가 이끌고 가려고 했던 대화의 흐름이다. 가정의 일상적 언어를 넘어서 우리 사회의 언어에 가깝다. 한 번도 본 적 없는 어떤 사람들의 고민과 생각들을 느끼고 또 내 것으로 상상해 본다. 신문으로 얻는 우리만의 즐거움이다.

그렇다. 우린 매일 1000개 혹은 2000개의 단어를 내뱉었다. 보통은 여기에 아들과 엄마의 말이 더 추가된다. 그럼 위에 적은 예상 스크립트의 1.5에서 2배 수준의 말이 오고 간다.

이렇게 이야기하는데 대략 10분 정도, 우리는 매일 이렇게 대화했다. 오늘 나의 상실감, 허전함, 어색함을 느꼈던 이유는 바로 저 위 생략된 대화 때문이다.

생략된 날 오히려 더 선명했다. 그래서 난 앞으로 더 열심히 '신문 퀴즈'를 해 나갈 것이다. 혹시 지루해질 즈음엔 새로운 재미 요소도 반영할 것이다.

이날 아침, 아들의 한 마디.
"아빠, 미안한데 오늘은 집중을 못 하겠어"라는 말에 고맙다는 말을 해야겠다. 새 학년의 첫 등교를 마치고 씩씩하게 돌아올 아들의 모습이 기대된다.

하버드 대학교 캐서린 스노우 교수 연구팀은 각 가정에 녹음기를 설치하고 2년 동안 관찰했는데, 그 결과 아이가 책을 통해 배우는 단어는 300개였고 밥상에서 대화를 통해 배우는 단어는 무려 1,000개에 달하는 것으로 밝혀졌다. 더불어 어린 시절의 풍부한 어휘는 고등학교 성적과 직결되는 것을 확인했다.

매년 일본에서 대학교 입학 성적이 가장 높게 나오는 시골 마을 아키타를 조사한 아베 노보루 교수의 연구 결과 역시 비슷하다. 노보루 교수는 '아키타 마을은 가족 식사의 빈도가 높고, 식사시간에 부모와 아이가 다양한 대화를 주고받는 것'이 우수한 성적의 비결이라고 말했다.

(김정진 - 기적의 밥상머리 교육)

제 7장

잡동사니

어떤 하루 들었던 생각.

너의 유년기, 마음 따뜻한 아이가 되면 좋겠다며 함께했던 놀이들.

그리고 놓치기 아쉬운 것들을 여기 모아둔다.

너의 유아기. 우린 이때도 참 재밌었구나

난 자녀교육에 관심이 많다. 아이가 어릴 때도 그랬다. 아이가 초등 입학 전에는 그저 열심히 함께 놀았다. 그러나 단순하게 놀아주는 것은 싫었고 그 놀이에 감성, 생각, 의미를 좀 담고 싶었다. 아이의 마음을 키우는 방향으로 노력했다. 무엇을 하느냐 보다, 어떻게 그것을 하느냐에 초점을 맞췄다. 이런 노력으로 아이는 조금 따뜻하게 자랐다. 그리고 아이의 생각도 함께 자랐다. 아이의 유년기 그동안 함께 한 많은 놀이 중, 기억에 남는 몇 가지를 정리했다. 물론 아이가 추천하는 놀이들로 엄선했다.

선물을 건네는 기쁨
아이가 누군가에게 선물하는 기쁨을 알았으면 좋겠다. 가족 외에 주변에서 가장 자주 보는 사람이 누굴까. 내성적인 아이지만 낯가림이 덜 했던 사람. 동네 미용실 이모였다. 이유는 모르겠지만 유독 미용실 이모와는 편안하다. 그래서 아이에게 물었다. "이모 선물해 줄까?" 미용실하고 어울리는 가위를 선물하기로 했다. 근처 상점에 들러 어린이용 안전 가위 하나를 샀다. 다음날 미용실 이모에게 이 가위를 선물했다.

별거 아닌 선물에 이모가 와락 울음을 터뜨린다. 너무 감동이라며 이런 선물은 처음 받아본다고 한다. 아이의 얼굴은 상기됐고, 뿌듯함이 엿보인다. 가족 외 누군가에게 처음으로 건네는 선물, 아이는 어떤 기분이었을까. 이날 아이는 집으로 돌아와 고열과 몸살을 세게 앓았다. 흥분한 아이는 그 흥분을 주체하지 못해서 아팠던 것 같다. 그만큼 이날의 경험은 아이에겐 특별했다.

할머니 초대

어린아이에게 부모 다음으로 따뜻한 사람은 누구일까, 아마도 할머니일 것이다. 자주 뵙고, 또 뵐 때마다 세상 행복하게 아이를 맞아 주시기 때문이다. 그런 할머니를 집으로 초대했다. 할머니의 도착 전 아이와 작은 이벤트를 준비했다.

현관의 초대 문구와 함께 사진 한 컷. 할머니와 함께할 일정 계획 수립. 할머니 도착 전에 우리의 일정과 사진을 공유한다. 오시기도 전부터 즐거우신 할머니... 별것도 아니지만 뭔가 좀 따뜻하다. 아마도 이날이, 아이와 함께 어떤 계획을 세웠던 첫 경험으로 기억된다. 머리를 맞대면 또 즐겁다.

대학 캠퍼스 탐방

TV 뉴스에 대학교 이야기가 나온다. 아빠 대학은 뭐 하는 곳이야. 이런저런 설명을 해준다. 그리고 궁금하면 한번 가볼래? 이렇게 아이와 예전 엄마가 가 다니던 학교를 간다. 여기는 뭐 하는 곳이고, 여기는 엄마가 예전에… 많은 이야기를 나누게 된다. 그리고 엄마는 추억에 잠긴다. 20년 전 엄마의 추억이, 우리의 추억이 되는 지점이다. 정확히 무엇일지는 모르지만, 표정은 좀 특별하다. 아이 나름 무슨 생각을 하고 있다. 이날 이후 아이 머릿속에는 대학이라는 단어가 어떤 그림과 추억이 합성되어 연상될 것이다.

우리 동네 지도 그리기

아이가 묻는다. "아빠 서울이 어디야", "응 차 타고 가면 20-30분 정도. 왜?", "그냥 궁금해서" 아이가 궁금하면, 난 바로 무언가 해주고 싶다. 대형 보드판에 아이와 함께 우리 동네 지도를 하나 그렸다. 집에서 출발해서 동네 홈플러스까지 방향과, 신호등, 횡단보도, 대략적인 거리 등을 감안하여, 지도를 그렸다. 조금 시범을 보여주니, 본인이 직접 하겠다며 의욕을 보였다... 서울이 어디냐고 물어온 아이에게 지도를 통해서 위치, 공간 감각을 좀 알려주고 싶었다. 이날 머릿속에

많은 것들이 들어섰을 것이다. 어디가 멀고, 가깝고, 우회전,
여기서는... 좌회전. 여기가 유턴이 되던가...

DIY 보드게임

항상 보드게임은 다이소, 백화점 등에서 구입해서 놀아주었다.
내 어릴 적 생각을 해보니, 형 누나와 직접 만들어 놀았는데,
세상이 참 좋아졌다. 생각만 할 게 아니라 역시 아이와 직접
만들어서 놀아줘야겠다. 보드판을 만들고, 각 자리마다 상과
벌을 적어 둔다. 물론 아이의 의견을 반영한다. 주사위를
굴려서 말이 멈춰 선 곳에서 미션을 수행한다. 나름 재밌다.

엄마 생일 이벤트

엄마 생일인데 무얼 해주면 좋겠어. 물어보곤, 나의 진두지휘 아래 계획표를 짰다.

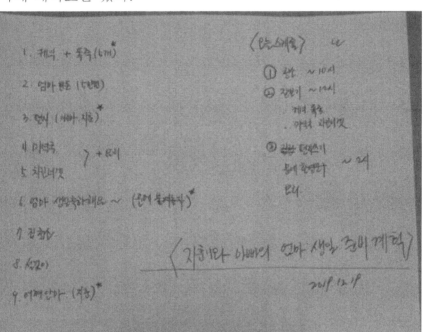

아이가 청소와 편지와 엄마 안마를 담당했고 나는 요리와 설거지 등을 담당했다. 그리고 엄마가 오기 전 모든 준비 완료. 사랑하는 엄마를 위해 본인이 무엇인가 했다는 뿌듯함이 하늘을 찔렀고, 깜짝파티라는 스릴감에 준비하는 시간 자체가 즐거웠다. 엄마의 감동은 보너스~~ 아이에게 엄마는 가장 소중한 사람이다. 그 소중한 사람에게 오늘 아이가 무언가를 해냈다. 소중한 사람을 사랑하는 법. 혹시 이런 걸 배웠을까...

공포 이야기

1989년의 어느 날, 모두가 잠든 새벽 2시에 10살 남자아이 한 명이 논길을 걷고 있었지. 칠흑 같은 어둠 속에서 얇고 날카로운 목소리가 들려왔어. 그 아이는 알 수 없는 공포감에 몸을 나무 뒤로 숨겼고, 그 소리에 귀를 기울였어. 멀리서 들려오는 소리, 그런데 이상하리만큼 너무 또렷하게 들려오는 목소리. 무서움에 몸을 부들부들 떨었지. 그런데 더 집중하여 그 소리를 들었더니, "시험기간에 공부 안 하고 뭐하니!"라는 말이었어. 공부라는 단어에 그만 도망을 치다가 절벽에서 떨어지고 말았는데... 그 순간 잠에서 깨어났지. 꿈이었어...

우리의 공포 이야기는 늘 이런 식이다. 약간 무섭게 긴장되게 시작해서 끝에는 어이없음에 웃음 짓는 이야기. 그러나 아이의 머릿속에는 수많은 영상들이 재구성되고 있을 것이다. 우리가 과거 라디오를 들으면서 어떤 장면들을 연상하고 그곳에 몰입하며 빠져들었던 것처럼. 이 공포 이야기는 아이가 요청으로 유치원을 다니던 2-3년 동안 계속됐다.

DYI 고무줄총

내가 예전 어렸을 때는 나무젓가락으로 고무줄총을 만들고 놀았다. 요즘이야 멋진 장난감이 흔하지만, 예전에는 흔한 물건이 아니었다. 아이와 고무줄총을 만들었다. 과녁을 만들어 시합을 하고, 탄창을 만들어 편의성도 높였다. 만드는 과정에서 아이디어는 계속 추가됐고, 이렇게 또 함께 자랐다.

독서실 책상 (나란히)

아이와 참 열심히 놀아주었다. 자상했고 웃었으며 아이를 응원했다. 아이가 7-8살 즈음에는 '공부하는 모습'을 보여주고 싶었다. 공부는 누군가 하라고 해서 하는 것이 아님을, 그리고 그것을 즐기면서도 할 수 있다는 것을 알기 바랐다.

독서실 책상 두 개를 샀다. 기존에 있던 책상 뒤에 새로 산 책상을 붙여 배치했다. 백화점 책상의 십분의 일 가격으로 두 개를 샀다. 저렴한 만큼 기능성이 떨어졌고, 화사함도 별로였고, 또 두 개를 산 만큼 방은 더 좁아졌다. 그러나 그것이 무엇 중요하랴. 우리는 이 두 개의 책상을 붙이면서 나란히 앉아 오손도손 대화하며 책을 본다. 책만 보는 것이 아니다. 내가 블로그를 시작하면 아이도 블로그를 시작한다. 내가 타이핑을 하면 아이도 그것이 하고 싶어 연습한다. 내가 영어를 공부하면 아이는 또 그것이 궁금해 묻는다… 아이는 어느새 아빠 '따라쟁이'가 되었다. 나란히 책상을 놓아두면서 생겨난 마법 같은 일이다. 이 마법은 어디까지 날아갈까. 한계가 있을까. 십만 원이 십억 아니 백억의 가치를 만들지 않을까 싶다. 아니 그렇게 될 것이다. 난 믿고 있다.

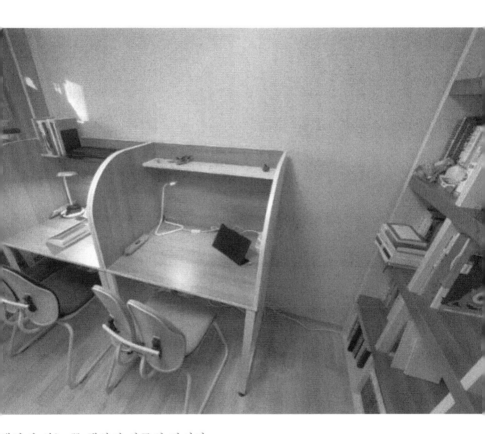

책장이 있는 쪽 책상이 아들의 것이다.

왼쪽에 앉아 있는 나를 참 많이도 참견하였다. 그렇게 아들은 함께 자랐다.

여기까지 정리한 것들이, 아이가 대략 4살~8살까지 내가 놀아주던 방식이다. 그 이전에는 그저 몸으로 많이 놀아주었다. 아들은 이제 이런 놀이보다는 게임을 더 좋아하고 컴퓨터로 할 수 있는 엑셀, PPT, 블로그, 유튜브 등에 더 많은 관심을 보인다. 자연스러운 성장 과정이다.

이 글을 적으며 과거를 돌아보니 우리의 놀이, 그 모든 것에 흐르는 공통의 정서가 있다.

난 아이가 행복하게 크길 바랐나 보다.

기억을 거스르면 추억일까

오늘도 어김없이 강변 산책로를 달린다. 이른 오전, 영하 10도, 외부의 차가운 공기와 내 안의 뜨거운 것과의 교체, 뭔가 새로운 것이 몸 안에 들어오는 것이 확연하다. 또한 낡은 생각은 새롭고 선명해진다. 역시 교체된다. 이런 느낌은 내면에서만 벌어지지 않는다. 얼굴에는 겨울 냄새 가득한 햇살이 쏟아지고, 멀리서 불어오는 바람엔 청명함이 가득하다. 이어폰을 뚫고 새 소리가 들린다. 이 소리, 매일 듣지만 지겹지 않다. 인적 드문 이 강 길은 오늘도 나를 위한 '나만의 낭만길'이 되어준다.

나는 왜 나무 앞에 섰을까.
강변 산책로 한 쪽에 커다랗게 서있는 은행나무 한 그루가 눈에 들어온다. 왜 이 나무가 오늘 내 눈에 들어올까. 아마도 오늘 오전 아이와 나눈 대화 때문이겠지. 나무 앞에 선다. 거친 껍질도 살피고, 올려다보며 내려다보며 여러 각도로 그것의 웅장함을 카메라에 담는다. 그리고 튼튼한 허리를 두 팔 벌려 안아본다. 어른 세 명은 함께 손 맞잡아야, 이 나무를 감쌀 수 있겠구나. "너는 나이가 한 300년은 되는구나"

나는 왜 나무를 안았지.
매일 그냥 지나치던 나무였는데. "개울 옆, 양지뜸과 음지뜸이 만나는 길목에 은행나무 한 그루가 있습니다. 어른 대여섯 명이 양팔을 벌리고 안아야 겨우 안을 수 있을 정도로 오래된 나무입니다. 사람들은 이 나무가 천 살이 되었다고 해서 천년 나무라고 부릅니다." 소설 '오줌 멀리 싸기 시합' 책 속에 적힌 한 구절을 오늘 아침에 찾아 읽었다. 예전에 아이랑 참 여러 번 보았던 책인데, 오늘 다시 찾아봤다. 어른 대여섯 명이 양팔을 벌려 안았던, 천 살의 나무. 안아보고 싶었다. 그래서 지금 내 앞의 저 나무의 나이가 궁금했다.

나는 왜 저 책의 한 페이지를 펼쳤을까.
책, 오줌 멀리 싸기 시합을 떠올리기 전 우리는 제법 긴 대화를 했다. 나무의 나이에 대해서... 우리나라에는

2,000살이 넘은 나무가 울릉도에 있고, 이것이 국내에선 최고령 나무라고. 그리고 강원도 정선 두위봉에는 주목이 1400살이라고. 경기 양평 용문사의 은행나무는 1100살이 넘는다고. 더 범위를 넓혀 세상에서 가장 오래 살아있는 나무는 미국 캘리포니아 어디의 소나무이고 이 친구의 나이는 4856살이라고. 그런데 이렇게 장수하는 나무만 있는 건 아니라며, 자작나무는 50년이면 그 생명을 다한다는 사실도 이야기한다. 어떻게 나무의 나이를 485'6'까지 알 수 있을지 신기하다며, 그 방법이 무엇일지 나름 짱구를 맞대기도 한다. 이유를 찾지는 못했으나, 맞댄 짱구는 재미난 한 폭의 그림이다.

저 양평의 1100살 은행나무가, 나이와 은행이라는 이름 때문에, 우리에게 '오줌 멀리 싸기 시합'의 천년나무를 소환한다. 추억은 단어를 통해서 뜬금없이 이렇게 내게 왔다.

그런데. 왜. 또 왜. 나는 이것을 글로 쓰며 기억을 더듬고 있을까. 시간의 역순으로 꼬리에 꼬리를 물듯 말이다. 이 또한 이유가 있다. 영하 10도의 찬 공기를 뚫고 느껴진 깨끗한 냄새. 어린 시절 동네 세탁소를 지나칠 때 맡았던 세제 냄새.

아마도 이 냄새가 추억, 기억, 연결의 세계로 나를 데려간 듯하다. 그래서 오늘 이렇게 거슬러 생각을 더듬는다.

품에 안은 나무 ← 천년 나무 ← 오줌 멀리 싸기 시합 ← 4856살 나무 ← 신문 기사 하나. 그리고 이런 흐름을 만들어준 세탁소의 깨끗한 냄새. 이 모든 것의 도화선이 되어준 아이와의 대화.

기억은 다른 기억과 어떤 이유로 연결된다. 그리고 그 기억이 하나로 뭉쳐 그럴싸한 한 덩어리 추억이 된다. 작은 것, 우리 일상의 아주 작은 것, 그것들을 시도하고 기록하는 것. 이것이 어쩌면 세상을 조금 더 따뜻하게 살아내는 방법은 아닐지 한번 생각해 본다.

크림빵 한 입 베어 물며, 어린 시절 어머님이 건네주신 크림빵이 떠오르고, 그렇게 40년을 추억한다. 자장면 한 젓가락에, 시골 장터에서 아버지와 먹었던 자장면으로 30년을 이동한다. 이것은 경이롭다. 이런 과거로의 추억여행. 상상력도 공부인가. 연습하면 실력이 늘까. 갑자기 궁금하다.

아이와 나눈 짧은 대화로 시작된 하루,
오늘 유난히 시간을 거슬러 걷게 한다.
아이와의 대화는 늘 소중하다.

문득, 가까울수록 좋은 단어

책 속 한 구절을 읽고 시선이 멈추는 대목에서 그의 진심 어린 조언을 듣는다. 그리고 나 또한 그 조언에 나의 이야기를 건네본다. 작가와 나누는 대화는 때론 즐겁다. '삼독'한다.

구본형의 책 '일상의 황홀'의 한 구절

문득 우리가 기상을 예측하고, 그 진로를 추측하고, 우리에게 닥칠 하루쯤 후의 기상을 제법 그럴듯한 자료를 가지고 아는 척할 수 있다는 것이 대견하기도 하고 우습기도 합니다.
자연의 가까운 미래를 예측하듯이, 한 사람의 운명도 언젠가 기상도를 그려 적어도 하루 정도 앞의 일은 예측할 수 있는 날도 있지 않을까 합니다. (…) 우리가 만나게 될 운명의 한 조각을 미리 예감할 수 있을까요? 그러다가 문득 우리 운명의 기상도에 꼭 필요한 정보들은 어떤 것들일지 생각해 보았습니다.

오늘도 조금 성숙하길. 나의 생각을 적는다.

문득. 문득. 글에 '문득'이란 단어가 참 많구나. 오늘은 문득이라는 단어가 가진 힘을 생각한다. '문득'은 감정의 대입 상황의 반전, 상상력의 발현, 새로운 가정과 가설... 이런 것들이 어우러진 어떤 이미지가 탄생하는 것이 아닐까. 최근에 나는 어떤 '문득의 순간'이 없었는지 떠올린다.

그런 순간이 있었구나. 바로 이날 아침에도.
못난이 사과 = 비정형과 =상생 과일(사과). 짧은 신문기사 안에서도 못생긴 사과를 다양하게 이름 짓고 있었다. 그래서 문득(뜬금없이) 이름이란 무엇인지, 떠올려 봤었다. 나의 이름 너의 이름, 이렇게 세상에 내 의지와 상관없이 정해지는 것들이 무엇일지.

또 다른 순간. 돌아보니 최근 며칠 '문득'을 떠올렸던 순간이 꽤나 있다. 임플란트 시술을 받으러 들린 치과에서 근무하는, 세상 친절하고 상냥한 치위생사 한 분. 그분의 아들이 하굣길 병원을 방문한다. '엄마'라고 부르는 말에 엄마임을 알게 된다 그러고는 이 아들이 엄마에게 "엄마 나 오늘은 태권도 안 가면 안 돼?"라고 묻는다.

"야. 너 학원이 공짜인 줄 알아. 돈 귀한 줄 알아야지. 말도 안 되는 소리 하지 마!"... 날카롭기도 하고, 모범적이고도 했고, 일반적인 우리네 대화인 듯도 하다. 문득 나라면 부모로서 어떤 말을 건넸을지 병원 소파에서 치료 순서를 기다리면서 상상한다. 더불어 저 아이와 저 엄마 사이에는 머릿속 '오늘의 공간'에 어떤 감정과 가치관들이 들어찼을지도 생각한다. 그리고 또 다른 '문득'의 순간도 있었다. 최근에 심심풀이로 참여한 공모전에 당선이 된다면 어떤 재미가 생겨날지 아들과 그 즐거운 순간에 나눌 기쁨의 대화들을 문득 떠올려 보았다.

또 문득, 11살 아이가 20살이 된 미래의 모습도 떠올려 보았다. 아이가 묻는다. "왜 아빠는, 내 20살이 궁금하냐고?", "그냥 너의 15살, 18살은 아빠 눈에 너무 선명해. 그래서 아빠는 너의 20살, 너의 뻔하지 않은 자유로운 삶을 살아갈 그때가 좀 궁금하네. 그게 뭘지..."라고 답한다.

'문득'으로 시작해서,
사과에서 이름의 의미가 무엇이지, 치과 소파에서 나라면 어떻게 했을지, 책상에 앉아 즐거운 공모전 수상의 순간도 떠올리고, 잠자리에서 나눈 10년 후 아들의 모습은 어떨지도 궁금해했던 '문득'의 순간들을 떠올린다.

'문득'은 감정의 대입, 상황의 반전, 상상력의 발현, 새로운 가정과 가설... 이런 것들이 어우러진 어떤 이미지가 탄생하는 것이 아닐까 생각해 본다. 그런 의미에서 '문득'이라는 단어를 가까이 품고 살면 좋겠다는 생각이다.

오늘 당신의 글에서 '문득'이라는 단어 떠올리고, 여러 생각들, 특히 20살 청년이 된 아들을 떠올려 봅니다.
감사합니다.

했다. 해냈다.

책 속 한 구절을 읽고 시선이 멈추는 대목에서 그의 진심 어린
조언을 듣는다. 그리고 나 또한 그 조언에 나의 이야기를
건네본다. 작가와 나누는 대화는 때론 즐겁다. '삼독'한다.

구본형의 책 '익숙한 것과의 결별'의 한 구절

매일 매 순간 그 일을 그리워하는데 이루어지지 않는다면
이상한 일이 아닐 수 없다. 자나 깨나 로또를 바란다면
이루어지지 않을 것이다. 내가 나에게 줄 수 있는 선물이
아니기 때문이다. 자나 깨나 신에게 기도한다면, '기도가
이루어지게 행동하라'는 답을 얻게 될 것이다. 신이 우리에게
꿈을 주었으니, 우리의 의무는 몸을 움직여 그 일을 매일 하는
것이다. 그러면 우리가 바라는 사람이 되어 있을 것이다. 나는
이 건강한 방정식을 의심하지 않는다.

오늘도 조금 성숙하길. 나의 생각을 적는다.

수없이 많은 성공의 방정식을 접한다. 책상 앞에 글 하나를 적어놓아라. 그날의 일상을 일기에 기록하라. 꿈을 소리 내어 외치고, 남에게 공유하여 알려라. 될 수 있으면 구체화하고, 단 하나의 성공 체험을 경험하라. 실패는 성공을 위한 거름이다... 모두 도움이 되기도 또 그렇지 않기도 했다. 도움이 됐을지언정 대부분은 나에게서 단명했다.

그런데 단 하나. 쉬우면서도 확실한 삶의 방정식 하나를 찾았다. '우리의 몸을 움직여 그 일을 매일 해라.' 매우 간단하며 명료한 방정식이 틀림없다. 이 말에도 약간의 부연 설명은 필요하겠다. 내 나름의 생각을 조금 더 녹인다. 매일 한다는 것은 술, 담배 따위는 아니다. 그것들의 '했다'에는 '해냈다'라는 뿌듯함이 없다. 뿌듯함에 소박함마저 깃든다면 최고다. 소박해야 할 이유가 있다. 매일 해낼 수 있는 것이고 크지 않아야 한다. 그래야 어렵지도, 시간이 많이 걸리지도 않는다. 또한 재밌어야, 자기가 좋아하는 것이어야 한다. 꾸준함을 위함이다. 또한 건전하고 긍정적이며 기쁜 것이라야 한다. 작은 성취는 삶의 동력이 되고 '그래 오늘 수고했다'라는 자신에게 전하는 '사랑의 메시지'가 남을 수 있다. 어느 날 돌아보면 크게 변한 것은 없을 수 있다. 그래서 실망스럽다. 그런데 시간이 제법 쌓이면 또 조금은 늘어있다. 그것이 어떤 가치적인 것이라면, '우리가 바라는 사람'이 되어 있을 것이다. 절대 거창할 필요가 없다. 책 한 페이지, 덕담 한 마디, 좋은 생각 한 조각, 건강을 위해 흐린 땀 한 방울, 생각이 커지는 문장 하나, 드라마를 보면서 마음을 움직이는 대사 하나, 그리고 삶에서의 한 번의 시도... 매일 하나면 보잘것없는 것도 뿌듯하고, 스스로를 대견하며, 켜켜이 쌓이면 기술이며 능력이고, 자신이 바라는 사람이 될 수 있다. 자신을 사랑하지 못하면, 남을 진정으로 사랑할 수 없는 법이다.

아들아. 너는 절대 기필코 거장은 아니다.

한국경제신문(2024.02.08) '남정욱의 종횡무진 경제사'의 기사 일부를 적어본다.

예술에서 혜성처럼 등장한 신인을 주저앉히는 방법은 간단하다. '호모 사피엔스 역사 이래 최고의 재능' 같은 찬사를 안겨주면 스스로를 감당하지 못해 대부분 다음 작품에서 망한다. 최악의 경우 데뷔작이 대표작이자 은퇴작이 되기도 하는데 대중음악에서는 이런 경우를 '원 히트 원더(one hit wonder)'라고 부른다. 악취미가 아니라 그냥 그렇다는 얘기다.

중견 이상부터는 쉽지 않다. 칭찬도 제법 받아본 터라 매체에서 하는 소리도 가려들을 줄 알고 나름 깜냥 계산도 된다. 그러나 이들에게도 확실하게 통하는 필살기가 있으니 '거장' 타이틀을 달아주는 거다. 증세는 심각하다. 어깨에 잔뜩 힘이 들어가고 뭐든 거장답게 해야 한다는 강박증에 시달린 끝에 닭 잡을 때 소 칼을 쓰고 가벼운 패스를 해야 하는 상황에서 강슛을 날린다.

나폴레옹의 대륙 봉쇄, 자신을 겨눈 총구가 됐다는 글의 도입부이다. 글의 전체 내용도 재미있는데, 이 도입부가 나에겐 인상적이다. 칭찬에 대한 말인데, 다른 책에서는 쉽게 접하지 못하는 현실감 가득한 표현이다.

사실 조금 무섭다. 누군가를 기분 좋은 칭찬을 통해서 죽일 수 있다는 사실. 칭찬은 고래마저 춤추게 만드는 것인데... 우리가 좋아하는 상대에게 늘 마음을 담아 건네는 것이기도 한데. 이것으로 공격도 가능하다니. 많은 책에서 칭찬에 대한 조언을 듣는다. '무조건적인 칭찬보다 칭찬의 이유를 명확히 설명하라', '결과보다는 과정을 칭찬하라.' 이 기사를 통해서 한 가지 더 머릿속에 담아두어야겠다. '극찬은 상대를 감당 못할 강박증에 시달리게 할 수 있다'라는 사실.

작가의 말은 나에게 해당될까.

잠시 시계를 과거로 돌려 나의 직장 생활을 돌이켜본다. 나도 한때 소위 잘나가던 때가 있었다. 대기업의 핵심인재로 대우받으며 별도의 계약서에 서명하고, 일정 기간 남들은 모르게 더 많은 연봉을 받았다. 또한 정기적으로 기프트카드 등을 받기도 하며, 금전적인 혜택 이외에도 인사상의 다른 혜택들이 제법 주어진다. 직장인에게 꽤나 자부심 느껴지는 상황이다. 근데 돌이켜 생각해 보면 이게 꼭 좋았던 것만은 아니다. 배부른 소리 같지만, '부담감'이라는 것이 존재한다. 매년 연말에 하는 인사고과는 과거에 대한 평가라, 좋은 결과를 받아도 "그래 이미 내가 한 것, 올 한 해 수고했구나." 정도의 보상적 인식만을 갖는다. 연례행사 성격의 평가는 과거형이다. 그런데 이 핵심인재라는 제도는 "이만큼 생각해 주니 앞으로 더 잘해내야겠구나."라는 미래형의 메시지를 담게 되고, 더불어 잘 해야 한다는 부담감, 강박을 함께 준다. 나의 경우 그렇다고 작가의 표현처럼 꼭 'one hit wonder'가 된 것은 아니지만, 어쨌든 상당한 압박을 받은 것은 사실이다. 이러한 상황이 몇 년간 연속되면 자칫 번아웃으로 연결된다. 내가 그랬다. 오히려 안 받는 게 더 좋았을까. 모르겠다. 슬기롭지 못해서 생긴 개인의 경험이지만, 이런 증상은 직장에서 타인에게서도 자주 목격할 수 있다. 모든 칭찬이 좋은 것만은 아닌 듯싶다.

이 상황을 자녀에게로 옮겨보자.

어린아이들은 아직 자신의 생각을 논리적으로 전달하는데 서툴다. 또한 성공의 이유와 원인을 분석하여 더욱 분발하는 연료가 되기보다는 순간의 결과와 감정에 심취한다. "엄마, 나 검은띠 땄어!" "아빠, 나 피아노 콩쿠르 대상 받았어" 대략 이런 표현들이다. "이번 결과는 이렇게 해서 받은 것 같아, 다음엔 말이지..." 이런 생각과 대화는 생략된다. 작가의 글을 읽고 보니, 이때 아이에게 무턱대고 극찬을 하면 안 좋은 것을 넘어, 감당 못할 강박을 줄지도 모르겠다. 꼭 그렇지는 않지만, 조심할 필요성은 다분하다. 대부분의 부모는 아이의 잘한 결과에 행복한 미소와 칭찬의 말을 건넬 테니, 이것이 사라지는 순간이 염려되어 아이는 현재의 수준에서 멈추고 싶을지 모른다. "나 그거 이제 하기 싫은데, 이젠 재미없어, 이번엔 안 하고 싶은데..." 어쩜 이런 표현은 일종의 '감당 못할 강박의 표현'일 수 있겠다. 약간의 확대 해석이 들어갔다. 인정한다. 다만 해석이건 뭐건, 두 가지는 내 머릿속에 담아둬야겠다.

'역사 이래 최고의 재능'이라는 칭찬과 그리고 '거장'이라는 타이틀. 극도의 칭찬은 조심해야겠다.

이제 그럼 어떻게 한다...

이것저것 자녀를 키우는 것은 쉽지 않다. 머릿속에 담아둔 것은 담아둔 것이고. 생각이 많다고, 이론이 가득하다고 잘 되는 세상은 아니다. 대신 나는 오늘 아침 이 기사를 너에게 읽어준 것으로 전하고 싶은 말을 대신하마. 그저 오늘도, 나는 너랑 재밌게 웃고 놀아주련다. 이야기 많이 나누고, 맛난 불닭볶음면 먹으면서 말이다. 그리고 내 할 일 하며 너에게는 작지만 따뜻한 관심을 전하려 한다.

마치며

디즈니랜드를 만든 월트디즈니는 비전을 갖고 있다.

디즈니랜드의 아이디어는 단순하다. 이곳은 부모와 아이들이 함께 행복과 깨달음을 발견하는 장소이다. 부모와 아이들은 함께 어울려 즐거운 시간을 보내고, 교사와 학생들은 보다 나은 이해와 교육 방식을 발견한다. 나이 든 세대들은 지나간 날들의 향수를 다시 느낄 것이며, 젊은이들은 미래의 도전을 맛볼 것이다. (…)

우리만의 디즈니랜드를 만들어볼까.

우리의 아이디어는 단순하다. 이곳은 부모와 자녀가 함께 행복과 깨달음을 발견하는 장소이다. 부모와 자녀가 함께 어울려 즐거운 시간을 보내고, 우리는 보다 나은 이해와 교육 방식을 발견한다. 부모는 이곳에서 지나간 날들의 향수를 다시 느낄 것이며, 자녀는 미래의 도전을 맛볼 것이다.

우리가 사는 이곳은 '우리만의 디즈니랜드'가 될 것이다.

이렇게 아름다운 가정 하나 만들 생각이다.

아들, 세상은 행복하려고 사는 거야

발 행 | 2024년 7월 23일

저 자 | 홍병진

펴낸이 | 한건희

펴낸곳 | 주식회사 부크크

출판사등록 | 2014.07.23.(제2014-16호)

주 소 | 서울특별시 금천구 가산디지털1로 119 SK트윈타워 A동 305호

전 화 | 1670-8316

이메일 | info@bookk.co.kr

ISBN | 979-11-410-9672-4

www.bookk.co.kr

ⓒ 홍병진 2024